COLEÇÃO de LIVROS

PanVel

Ler faz bem para a cabeça.

A Panvel faz bem para sua cabeça e seu corpo.

A Panvel quer cuidar de você como um todo. Por isso, tem o prazer de proporcionar esta leitura em mais um exemplar da Coleção de Livros Panvel - Ler faz bem para a cabeça. E para cuidar bem do seu corpo, a Panvel tem uma linha própria de 25 produtos com alta qualidade e um preço sem concorrentes. Isto porque a marca Panvel é comercializada exclusivamente na nossa rede de farmácias. Procure a nossa linha. Vai fazer bem até para o seu bolso.

PanVel
FARMÁCIAS

Sempre mais perto de você.
http://www.panvel.com.br

LUIS FERNANDO VERISSIMO

Seleção de crônicas do livro
Novas Comédias da Vida Privada

L&PM
EDITORES

Produção: Fernanda Verissimo, Jó Saldanha e Lúcia Bohrer
Capa: Caulos
Revisão: Ruiz Renato Faillace e Carlos Saldanha

ISBN 852540582-5

V517s	Verissimo, Luis Fernando, 1936-
	Seleção de crônicas do livro Novas Comédias da Vida Privada / Luis Fernando Verissimo. — Porto Alegre : L&PM, 1996.
	128 p. ; 21 cm.
	1. Ficção brasileira-Crônicas. I. Título.
	CDD 869.98
	CDU 869.0 (81) - 94

Catalogação elaborada por Izabel A. Merlo, CRB 10/329

Impresso no Brasil
Outono de 1997.

ÍNDICE

Olho de peixe 7
A legítima e a outra 19
Rosamaria 11
Infidelidades 14
Cama, mesa e banho 16
Aquilo 18
Dalva e Moacir 20
Dalva e Moacir (2) 22
O caseiro 24
Enquanto dure 27
O sonho 30
Inimigos 32
Paixões 34
O que fazem os vagalumes de dia? 37
Santa Helena 40
Bacalhau 43
Do casamento 46
Segurança 49
Tesouro 51
O homem que falava naiki 54
Olímpicos 56
Vingança 59
Paulão 62
Cardíacos 64
Contos de verão 66

Os moralistas 70
Explícito 73
Experiência nova 75
Cobertura 77
Dr. Gomide 80
Contos 83
O Sítio do Ferreirinha 87
Olha o Armani 89
Bom provedor 92
Presente 94
Sintetizador 96
Mães 98
A estatueta 100
Povo 103
Adolescência 106
Gerações 109
Rubens 112
Amadores 114
Metafísica 116
Não poema 118
Hobbies 121
O tronco 123
Realismo 127

= Não sei

OLHO DE PEIXE

— Esse peixe está me olhando de uma maneira estranha...

— Calma, calma.

— Calma nada. Olha a cara desse peixe. Vou mandar de volta. Garçom!

— Você está bêbado.

— Posso estar, mas se é coisa que eu não agüento é um peixe insolente.

— O peixe está quieto. Te serve, come e vamos para casa que já está clareando o dia. Chega de confusão por hoje.

— Que confusão? Eu estou lúcido, ouviu? Lúcido. Só porque eu briguei com aquela piranha? Ela insultou a minha mulher. Minha mulher está sossegada na praia, a coitada. Não pode andar na boca de qualquer uma.

— Só o que a menina disse foi que ia ter muita porta-estandarte sem mestre-sala na praia, este fim de semana.

— E então? Uma clara referência à minha mulher. Ô garçom!

— Você é engraçado. Me convenceu a ficar na cidade, me convenceu a sair com você, arrumou o programa, depois passou a noite brigando e enchendo a cara!

— É que fica todo mundo querendo me fazer culpa. Olha esse peixe, por exemplo. O seu olhar de reprovação.

— Então come ele logo.

— Não. Se eu comer vai ficar a cabeça aí na travessa, me condenando por ter abandonado a família pela farra e por ter devorado o seu corpo inocente. É isso que ele quer. Está me desafiando. Quer ver de que horrores eu sou capaz.

– Não é possível...

– Garçom!

– Olha aqui, eu tapo a cabeça do peixe com esta alface. Assim você pode comer sossegado sem ver os olhos da vítima.

– Por que você fez isso?

– Como, por quê?

– Então você acha que o peixe tem razão. Você está com o peixe!

– Eu não acredito no que estou ouvindo...

– Não, você está com o peixe. Confesse. Acha que o peixe tem todos os motivos para me reprovar. Quer tapar os seus olhos e lhe poupar este triste espetáculo.

– Só o que eu quero é ir para casa dormir. E tem outra coisa: amanhã me mando pra praia. Carnaval com você, nunca mais!

– Está bem. Nesta mesa eu só tenho inimigos. Você e o peixe. É uma conspiração. Está bem.

– Escuta...

– Não precisa mais falar comigo. Converse com o seu protegido, o peixe. É bom descobrir a opinião que os amigos têm da gente. Você me considera um insensível, um monstro capaz de mentir para a mulher que precisou ir para o interior visitar um parente doente e ficar na cidade se divertindo no carnaval.

– Está aí. Você não tem razão para se sentir culpado. Você não se divertiu nem um minuto. Coma o seu peixe e vamos embora.

– Não. Ele ia me roer por dentro. Sabe que é daí que vem a palavra remorso? Significa recomer. Vem do tempo em que nós éramos canibais e temíamos que os inimigos devorados nos devorassem por dentro. Hein? Hein?

– Bêbado e erudito.

– Chato é a mãe!

– Calma, calma.

– Garçom! Leve este cara daqui. O peixe pode deixar que agora me deu fome.

– O senhor vai querer mais alguma coisa?

– O que que tem a minha mulher?

A LEGÍTIMA E A OUTRA

A Outra tanto fez que conseguiu entrar na UTI, onde encontrou a Legítima agarrada à mão dele. Deitado de barriga para cima, com tubos e fios saindo para todos os lados e conectando-o à aparelhagem em volta, ele parecia um avião recém-pousado depois de uma longa viagem. Um Boeing com as turbinas apagadas, mantido vivo pelo pessoal de terra.

– Querido! – gritou a Outra, procurando uma parte dele que também pudesse agarrar.

A Legítima nem piscou.

– O que você fez com ele? – exigiu a Outra.

A Legítima nada.

– Eu sabia que cedo ou tarde você o mataria! – acusou a Outra.

A Legítima, uma pedra.

– Só comigo ele tinha o carinho de que precisava. Você fez isso com ele! Você! Com sua frieza, com sua maldade, com sua...

Então a Legítima falou:

– Nós estávamos fazendo amor.

A Outra recuou como se tivesse levado um choque.

– Mentira!

A enfermeira fez "sssh", mas a Outra falou ainda mais alto.

– MENTIRA!

– Ele morreu nos meus braços – disse a Legítima no mesmo tom triunfal.

– Ele não está morto – corrigiu a enfermeira.

– Morreu nos meus braços, está ouvindo?

– Despeito! Despeito! Ele só fazia amor comigo.

– Sabe quais foram suas últimas palavras?

A Outra tapou os ouvidos.

– Eu não quero ouvir!

– Suas últimas palavras foram "Agora cruza!"

– Não!

– Sim! Sim! Nós estávamos fazendo o Alicate!

– NÃO!

Um médico apareceu e ameaçou retirar as duas de perto do paciente. Elas não lhe deram atenção. A Outra soluçava.

– Não. O Alicate não!

– Sim! Tudo o que ele fazia com você ele fazia em casa. Experimentava em você para fazer comigo.

A Outra interrompeu os soluços para espiar por entre os dedos que tapavam seu rosto e perguntar, incrédula:

– A Borboleta também?

– A Borboleta, a Chinesa Assoviadora, o Baile dos Cossacos...

– NÃO!

– Sssshh!

– Tudo. Tudo! Você era um campo de provas. Eu era para valer. Com você era treino. Comigo era pelos pontos!

Então a Outra gritou uma palavra indecifrável e avançou num dos aparelhos que cercavam a cama, tentando arrancar os fios, até ser controlada pelo médico e a enfermeira e empurrada para fora do cubículo. Da porta a Outra ainda conseguiu gritar:

– O Salgueiro Despencado ele não fazia com você!

– Fazia! Fazia!

Perfilada ao lado da cama, a Legítima respirou fundo. Depois, sentou-se. Ia pegar a mão dele, mas recuou. Em vez disso, cochichou no seu ouvido.

– Joca?

Insistiu:

– Joca?

Depois:

– Como era o Salgueiro Despencado?

Depois:

– Seu safado. Como era o Salgueiro Despencado?

E o Boeing quieto.

ROSAMARIA

Maria Alice precisou conversar com o ex-marido, Raimundo, que todos chamavam de Raimundão. Problemas com o filho de ambos, o Raimundinho. Foi procurá-lo em seu apartamento. Entrou no elevador com outra mulher, uma loira que carregava uma mala.

– Qual é o seu andar? – perguntou a loira.

– O sétimo – disse Maria Alice.

– É o meu também – disse a loira, apertando o botão.

Quando chegaram ao sétimo, Maria Alice desceu do elevador e olhou em volta, tentando se orientar. A loira perguntou:

– Que número você procura?

– O 706.

– É o meu também – disse a loira, e foi na frente.

A loira tocou a campainha do 706 e as duas ficaram esperando.

– Quem você está procurando? – perguntou a loira.

– O meu marido – disse Maria Alice.

A porta se abriu e apareceu o Raimundão enrolado numa toalha e molhado.

– É o meu também – disse a loira, passando pelo Raimundão e entrando no apartamento.

– O que você está fazendo aqui? – perguntou Raimundo à ex-mulher.

– Preciso conversar com você sobre o...

Mas o Raimundão já tinha desaparecido para dentro do apartamento, seguindo a loira. Maria Alice entrou atrás dele.

– Odete, não entre no banheiro! – disse Raimundão para a loira, que já estava com a mão na maçaneta.

– Por quê?

– Eu acabei de tomar banho e está uma grande bagunça aí dentro.

Odete colou o ouvido na porta.

– Tem barulho de água. Ou você esqueceu de desligar o chuveiro ou a grande bagunça ainda está tomando banho.

– Raimundo – disse Maria Alice –, nós precisamos conversar sobre o...

– Você está insinuando – disse Raimundo para Odete – que tem uma Rosamaria, ahn, uma mulher aí dentro?

– Rosamaria – disse Odete. – A grande bagunça se chama Rosamaria. Muito bem.

– Raimundo... – insistiu Maria Alice.

– Só um pouquinho – disse Raimundo a Maria Alice. E para Odete: – Está bem, tem uma mulher aí dentro. Mas não é o que você está pensando.

– Sei. Vocês são apenas bons amigos. Tão amigos que tomam banho juntos.

– Raimundo, você precisa ter uma conversa com o Raimundinho.

– Que Raimundinho?

– Seu filho!

Mas a atenção de Raimundão estava em Odete, que agora batia na porta do banheiro e gritava:

– Rosamaria, querida. Quer dar um pulinho aqui fora?

– O Raimundinho... – tentou continuar Maria Alice, mas Odete a interrompeu.

– Dá licença? Primeiro vamos resolver a minha crise conjugal, depois você cuida dos seus problemas familiares. Acabo de descobrir que meu marido tem outra mulher e que ele estava no banho com ela. Acho que tenho prioridade.

– Não é outra mulher – disse Maria Alice. – É a mesma.

– Como, a mesma?

– Ele é amante da Rosamaria há anos. Já era antes de nos casarmos.

– Você sabia? – perguntou Raimundão.

– Ora, Raimundo. Eu não sou boba.

– Não – disse Odete. – A boba sou eu. Vou visitar a minha mãe, volto um dia antes porque não agüentava de saudade e encontro uma Rosamaria no meu banheiro.

– Minha filha – disse Maria Alice –, mulher que volta um dia antes está pedindo para encontrar o marido com uma Rosamaria. O segredo de um bom casamento é: nunca voltar um dia antes.

– Exatamente – concordou Raimundão.

– Seu, seu... – começou Odete.

– Crápula – assoprou Maria Alice.

– Crápula! Seu, seu...

– Cínico – sugeriu Maria Alice.

– Cínico! Vou embora e não volto mais. Fique com sua Rosamaria e com essa, essa... ex-mulher!

E Odete pegou sua mala e saiu porta afora.

– Pronto – suspirou Raimundão. – Lá se vai outra. A culpa é minha, Maria Alice? Diz com sinceridade. A culpa é minha?

– Não, Raimundão. A culpa é nossa. Nós não entendemos você. Voltamos um dia antes, fazemos de tudo para atrapalhar sua vida. A única que entende você é a Rosamaria. Aliás, nunca entendi por que você não casou com a Rosamaria.

– Tá doida? E estragar um relacionamento perfeito?

– Podemos falar sobre o Raimundinho?

Mas Raimundão estava tirando a toalha e entrando no banheiro.

– Espera aí – disse ele. – Ainda não terminei meu banho.

Infidelidades

Um dia Moacyr ("com ipsilone", como dizia) chegou em casa e encontrou sua mulher na cama com um fuzileiro naval. Comentou que há muito tempo não via fuzileiros navais, com seus uniformes característicos, na rua e até se indagava se a corporação ainda existia.

– Existimos – respondeu o fuzileiro Tobias – mas só para serviços especiais.

E Dalinda, ao seu lado, sorriu e baixou os olhos, imaginando que Tobias se referia a ela.

ooo

Cardoso (não é parente) deu um desfalque na firma e quando telefonou para casa já estava em Orlando, na Flórida, e anunciou que estava bem, que a Dulce da contabilidade estava com ele e que dali a pouco entrariam na fila para entrar na Space Mountain. Rosalva começou a chorar no telefone e Cardoso disse:

– Ô boba, não tem perigo nenhum!

ooo

Firmino morreu e no dia seguinte saíram dois convites para enterro, no jornal, um da mulher, dos filhos e dos irmãos e outro de uma tal de Mara Araci, em que aparecia não só o nome de Firmino como, embaixo, entre parênteses, um apelido, "Mininho". Quando saiu o convite para a missa de sétimo dia, mandado publicar pela viúva, embaixo do nome do Firmino tinha o apelido

14

"Nêgo". Mara Araci publicou um convite para a missa de 30 dias, em que não repetiu o apelido de Firmino, mas depois do seu, entre parênteses, botou "Fofa". A viúva teve que esperar a missa de um ano de falecimento para publicar um convite e botar, depois do seu nome, "Fofa Um".

ooo

Só anteontem, depois de três anos de casado, Alencar descobriu que a Heleninha era Fluminense. Sempre achara que ela não ligava para futebol ou, na pior das hipóteses, fosse vagamente América, como o seu pai (que dizia "Sou América teórico"). Mas Fluminense?!

– E você – disparou Heleninha – que recorta artigo do Delfim Netto?

Os dois vão ao jogo, mas separados, e só depois pensarão no que fazer.

CAMA, MESA E BANHO

A tese da mãe da Julinha é a seguinte: qualquer casamento pode ser salvo até começarem a voar objetos. Um casamento sobrevive a tudo, menos ao açucareiro na cabeça. E a mãe da Julinha é contra a tese segundo a qual, se um casamento dá certo na cama, o resto se arranja. Ela acha que é justamente o contrário. Foi o que disse pra Julinha quando a filha anunciou que ia se casar com o Torres duas semanas depois de conhecê-lo.

– É uma loucura! Vocês não sabem nada um do outro.

– No que interessa, já nos conhecemos até demais.

Se dependesse da Julinha, nem haveria casamento. Mas a mãe insistiu. Não fazia questão de véu e grinalda, mas alguma cerimônia tinha que haver, nem que fosse só para terem o que fotografar.

– Se seu pai não usar gravata prateada, morre – foi o argumento da mãe para convencer a filha única.

A Julinha cedeu. Aceitou a cerimônia civil, as famílias reunidas, os salgadinhos, os bolos, as fotos, a gravata prateada do pai, tudo. Mesmo porque 15 minutos depois de assinarem os papéis, ela e o Torres já estavam no hotel, inaugurando oficialmente a lua-de-mel, antes de viajarem para Cancún.

Os problemas começaram no dia seguinte.

Ao meio-dia, Julinha apareceu em casa de surpresa. A mãe levou um susto.

– Vocês não viajaram?

– Ele raspa a manteiga, mamãe.

– O quê?

– Descobri hoje no café da manhã. No hotel. Ainda bem que

16

eles serviram a manteiga em tablete. Senão eu só ia descobrir depois.

– Minha filha, eu não estou...

– Ele raspa a manteiga! Não corta em segmentos, como eu. Como é normal, como é o certo. Raspa por cima. E outra coisa....

– O quê?

– A pasta de dente. Aperta no meio. Não começa a apertar por baixo. Aperta em qualquer lugar, mamãe. Eu não posso viver com um homem que aperta o tubo de pasta de dente no meio.

A mãe se sentiu justiçada. Tinha avisado, não tinha? Na cama, qualquer um se acerta. O problema era a mesa e o banho.

– Pode-se dar um jeito, minha filha. Seu pai cortava a ponta do queijo. Eu ensinei a cortar ao comprido.

– Não tem mais jeito, mamãe. Ele disse que é raspador e vai morrer raspador. E outra coisa...

– O quê?

– Já voaram objetos.

– Meu Deus.

– O casamento acabou.

AQUILO

— De uns tempos para cá, eu só penso naquilo.

— Eu penso naquilo desde os meus, sei lá, onze anos.

— Onze anos?

— É. E o tempo todo.

— Não. Eu, antigamente, pensava pouco naquilo. Era uma coisa que não me preocupava. Claro que a gente convivia com aquilo desde cedo. Via acontecer à nossa volta, não podia ignorar. Mas não era, assim, uma preocupação constante. Como agora.

— Pra mim sempre foi. Aliás, eu não penso em outra coisa.

— Desde criança?!

— De dia e de noite.

— E como é que você conseguia viver com isso, desde criança?

— Mas é uma coisa natural. Acho que todo mundo é assim. Você é que é anormal, se só começou a pensar naquilo nessa idade.

— Antes eu pensava, mas hoje é uma obsessão. Fico imaginando como será. O que eu vou sentir. Como será o depois.

— Você se preocupa demais. Precisa relaxar. A coisa tem que acontecer naturalmente. Se você fica ansioso é pior. Aí sim, aquilo se torna uma angústia, em vez de um prazer.

— Um prazer? Aquilo?

— Pra você não sei. Pra mim, é o maior prazer que um homem pode ter. É quando o homem chega ao paraíso.

— Bom, se você acredita nisso, então pode pensar naquilo como um prazer. Pra mim é o fim.

— Você precisa de ajuda, rapaz.

– Ajuda religiosa? Perdi a fé há muito tempo. Da última vez que falei com um padre a respeito, só o que ele me disse foi que eu devia rezar. Rezar muito, para poder enfrentar aquilo sem medo.

– Mas você foi procurar logo um padre? Precisa de ajuda psiquiátrica. Talvez clínica, não sei. Ter pavor daquilo não é saudável.

– E eu não sei? Eu queria ser como você. Viver com a perspectiva daquilo naturalmente, até alegremente. Ir para aquilo assoviando.

– Ah, vou. Assoviando e dando pulinho. Olhe, já sei o que eu vou fazer. Vou apresentar você a uma amiga minha. Ela vai tirar todo o seu medo.

– Sei. Uma dessas transcendentalistas.

– Não, é daqui mesmo. Codinome Neca. Com ela é tiro e queda. Figurativamente falando, claro.

– Hein?

– O quê?

– Do que é que nós estamos falando?

– Do que é que você está falando?

– Daquilo. Da morte.

– Ah.

– E você?

– Esquece.

DALVA E MOACIR

Dalva e Moacir eram jovens e se amavam, mas os pais dela proibiram o romance e os dois decidiram se matar. Dalva foi ao quarto de Moacir levando inseticida numa garrafa térmica. Os dois tiraram toda a roupa e se amaram, depois cada um tomou inseticida, primeiro a Dalva, depois o Moacir. Mas o Moacir não morreu.

Os familiares da Dalva tentaram invadir o hospital para matar o Moacir, que depois da alta teve que fugir da cidade. Voltou dez anos depois, e a primeira coisa que fez foi ir ao cemitério procurar o túmulo de Dalva. Não foi difícil de encontrar. Havia uma multidão em volta do túmulo. Segundo o zelador do cemitério, era assim todos os dias. Vinha gente de longe para visitar o túmulo.

– Por quê?

– É uma história famosa. Um pacto suicida. Faz anos.

– Ela e o namorado?

– É. Mas ele não morreu. Continua aí.

– Onde?

– Na cidade. Andou fora uns tempos depois voltou. O senhor não é daqui?

– Sou. Não. Era.

A cidade não mudara nada, mas Moacir não encontrou nenhum conhecido. Entrou num bar e pediu um guaraná. A moça atrás do balcão serviu o guaraná sem olhar para ele. Estava olhando para um moço sentado atrás de uma mesa, no fundo do bar. Um moço com um ar sombrio, a barba por fazer. A moça sacudiu a cabeça e disse: "Coitado".

– Quem é? – perguntou Moacir.

– Não conhece? É uma história famosa. Um pacto suicida. Ela morreu, ele sobreviveu. Desde então ficou assim. Dá uma pena.

– Como é o nome dele?

– Moacir.

Naquela noite Moacir foi a outro bar. Não era do seu tempo. Muito movimento, a garotada na calçada, carros estacionados na frente com as portas abertas e o som em alto volume. Dentro do bar, Moacir avistou o falso Moacir. Ar sombrio, o cabelo caído na testa, um copo de uísque sobre a mesa à frente.

– Olha ele lá – disse uma moça ao lado de Moacir. – Eu fico toda arrepiada.

Eram duas adolescentes de pé na calçada, cerveja na mão. Estavam com uma turma.

– Por quê? – quis saber Moacir.

– Já pensou? Dá uma vontade de ir lá consolar, não dá?

– Parece filme – disse a outra, que também ficava toda arrepiada só de olhar o coitado.

Moacir entrou no bar e abriu caminho no meio da multidão até a mesa do impostor. Puxou-o pela frente do suéter preto de gola rulê e gritou:

– Seu pulha! Seu verme!

Aos que apartaram Moacir disse, depois, que ficara indignado. Estivera no túmulo da Dalva aquela tarde e não agüentara ver aquele pulha, aquele verme, sentado ali, tomando uísque. Era o responsável pela morte da santa. Devia estar era tomando inseticida, isso sim.

Quando saiu do bar, Moacir passou pelas duas adolescentes que o olharam com reprovação.

– Eu, hein? – disse uma delas.

Dalva e Moacir (2)

Numa cidadezinha do interior do Brasil um moço e uma moça se apaixonaram, como acontece muito. Moacir e Dalva. Mas como eram muito jovens, e ele era pobre, e os pais da moça eram ricos e queriam que ela namorasse o gerente da filial local do Banco do Brasil, o romance foi proibido e os dois fizeram um pacto suicida. Encontraram-se numa noite de lua cheia ao lado do muro do cemitério (o muro branco azulado pela lua, a lua fazendo a grama cintilar, a lua faiscando na tampa da garrafa térmica com o inseticida) e beijaram-se, certos de que se encontrariam do outro lado da morte, onde ninguém proibiria seu amor. Depois ela tomou o inseticida e morreu – e ele não conseguiu tomar. Levou várias vezes a tampa da garrafa térmica cheia de inseticida à boca e não conseguiu. Quando o dia raiou (o sol banhando de rosa o muro e o corpo da moça sobre a grama, o sol faiscando na tampa da garrafa térmica abandonada ao seu lado) ele voltou para a cidade e trancou-se em seu quarto, onde ficou uma semana sem comer nem ver ninguém, e de onde não saiu nem quando bateram na porta para anunciar que sua namorada tinha sido encontrada morta perto do cemitério.

Tomada de revolta e remorso, a família da moça primeiro quis matar o moço pelo qual ela tinha se matado, depois o acolheu como um filho, pois ele não era culpado de nada salvo de ser amado por ela. A intransigência deles é que tinha causado a tragédia, e quando foi inaugurada a capela em memória da suicida no cemitério a mãe ajoelhou-se na frente do rapaz, beijou as suas mãos e pediu perdão, e o pai o abraçou e disse que dali em diante o rapaz fazia parte da família, que pagaria seus estudos e cuidaria do seu futuro. Moacir se mudou para a casa deles. Ocupou o quarto que era de Dalva, com o compromisso de não mudar nada salvo o que fosse preciso para ajeitar as suas coisas. E nos dez anos seguintes – menos os que passou na universidade, preparando-se para assumir um posto na firma da família – Moacir dormiu entre as bonecas da moça, banhou-se entre os perfumes da moça, e não houve noite em que não sonhasse com o muro branco azulado pelo luar, e o rosto de Dalva ao beijá-lo, e ao morrer.

Um dia o moço anunciou na mesa do jantar que estava gostando de uma mulher e que pretendia ficar noivo. O pai e a mãe adotivos se entreolharam mas não disseram nada. Na visita à capela da suicida, naquele domingo, a mãe segurou a mão dele e cochichou:

– Conta pra ela.

– O quê?

– Conta pra Dalva que você tem outra.

– Mas...

– Você não pode traí-la. Vocês casaram. Entende? Quando nós trouxemos você para dentro da nossa casa, foi como se vocês tivessem se casado. Nós realizamos o desejo da nossa filha. Aceitamos você. Abençoamos o amor de vocês. Você não pode nos trair!

Naquela noite Moacir declarou aos pais de Dalva que era livre. Que ia se casar com a outra de qualquer maneira. Que Dalva é que o abandonara, suicidando-se. E que eles não mandavam nele. Ele era livre! Livre! E foi dormir.

Dois empregados da família arrancaram Moacir da cama e o levaram a força para uma cidade perto, onde havia um tatuador.

Quando o trouxeram de volta, anunciaram aos pais de Dalva que o serviço estava feito. O moço estava com o nome "Dalva" tatuado no pênis, e sobrara espaço para um coração. Queriam ver outra mulher aceitar aquilo. Queriam ver ele ter coragem de mandar raspar a tatuagem. Ele que não tivera coragem de tomar o inseticida.

– Vocês...Vocês sabiam? Esse tempo todo, vocês sabiam do pacto?

– Ela deixou um bilhete – disse a mãe de Dalva.

E ela e o marido atiraram a cabeça para trás e deram uma gargalhada que ecoou pela cidadezinha e chegou até ao cemitério.

O caseiro

Laura e Jair compraram uma casa na praia em 75 e no mesmo ano contrataram um caseiro, o Higino, filho de pescador, que tinha fama no lugar de ser um "rapaz direito". Higino foi morar num quartinho atrás da casa, ao lado da garagem. Quando Laura e Jair chegavam para a temporada na praia de todos os anos, sempre encontravam a casa bem cuidada, o jardim impecável, tudo no lugar. Durante 20 anos, a única coisa que desapareceu de dentro da casa foi uma foto emoldurada, de casamento, de Laura e Jair. Laura nunca mencionou o desaparecimento a Higino. Ele poderia se ofender, e ela não queria perdê-lo. O Higino era uma preciosidade.

Quando voltavam das férias, Laura e Jair sempre tinham histórias do Higino para contar. Da sua eficiência, da sua seriedade – e que cozinheiro! E, quando Laura e Jair voltavam para a cidade no fim do verão, Higino também tinha coisas para contar no Bar do Garça, sobre o casal. Um dia, disse: "Esse casamento não vai longe." Dito e feito. No verão seguinte, Laura apareceu sozinha na praia, explicando ao Higino que o dr. Jair estava com muito trabalho.

"Ela tá caminhando muito na praia à tardinha", contou Higino no Bar do Garça. Para Higino, caminhar muito na praia à tardinha, se não era para pegar marisco, era infelicidade. E a dona Laura chegava em casa sem um marisco.

"O seu Higino fez peixes maravilhosos. Conversamos muito. Ele não sabe, mas se não fosse ele eu teria enlouquecido neste verão. Acho que me matava", contou Laura na cidade. "Ela está comendo demais", disse Higino no Bar do Garça. Outro sinal certo de desgosto.

Laura ficou com a casa e no mesmo ano do divórcio apareceu na praia com um grupo mais jovem do que ela, inclusive um moço loiro com rabo de cavalo e brinco numa orelha, que os outros chamavam de Catupiri, ou Catupa, e que despertou uma antipatia instantânea em Higino. "Ela está rindo muito de nada", disse Higino no Bar do Garça, preocupado. "Sabe quando eu me convenci que estava fazendo papel ridículo?", perguntou Laura na cidade. "Quando vi a cara do seu Higino olhando a mecha azul no cabelo do Catupa. No mesmo dia mandei todo o grupo embora."

"Ele não me chamou exatamente de gorda", contou Laura na cidade, entre risadas, na volta de outro veraneio. "Só se recusou a me fazer qualquer coisa com ovo, batata ou açúcar. Eu implorava e ele nada. E sabe que eu emagreci?"

Uma vez Laura emprestou a casa para duas amigas, por uma semana. Quando o Higino comentou, admirado, que nunca vira duas moças tão amigas, Laura explicou que elas eram lésbicas. O Higino fez que sim com a cabeça, sério, depois comentou: "Como tem aparecido religião nova, né?" Laura fez sucesso na cidade com mais outra do seu Higino.

Laura apareceu na praia vestida de uma maneira estranha. Cabelos compridos e despenteados, muito magra. Em vez de caminhar na praia, ficava sentada num lugar só, com as pernas cruzadas, olhando fixo para o horizonte e dizendo "Rama-sã, ramasã". Recusava-se a comer. Mas não resistiu quando o Higino fez um dos seus peixes na brasa e carregou no pirão, e quando chegou o fim do veraneio declarou ao caseiro que tinha abandonado a busca interior do seu eu cósmico e voltado à realidade e ao bom senso por causa dele. E o Higino, modesto, dissera: "Não foi nada, não, senhora."

Outro ano, Laura apareceu com um senhor muito distinto, cabelo branco, cachimbo, fitas de música erudita, que chamava

Higino de "meu bom homem". Laura ficou cuidando a reação de Higino ao namorado novo, o primeiro desde o Catupiri que ela tivera coragem de mostrar ao caseiro. Higino não comentou a brancura do homem, nem o Hindemith no toca-fitas, comentou o friso das suas bermudas. Nunca vira frisos tão retos em qualquer coisa, quanto mais em bermudas. Quando voltou para a cidade, Laura desfez o namoro.

"Ele é casado? Tem namorada?", perguntaram a Laura, na cidade. "Não que eu saiba. A única vida social dele é no tal Bar do Garça."

No ano passado, quando chegou na praia, pela primeira vez Laura notou que Higino também estava ficando grisalho, e com um ar distinto. "Envelheci junto com uma pessoa que eu mal conheço", pensou Laura.

No ano passado, também pela primeira vez, Laura convidou Higino a sentar à mesa com ela depois que ele serviu um dos seus peixes maravilhosos. "Sabe do que eu precisava, seu Higino? De um marido como o senhor." Ele sacudia a cabeça, gravemente. Laura não sabe se por polidez ou concordando. Mas recusou o vinho branco.

No meio do ano passado, Laura apareceu na casa da praia sem avisar. Nunca ia no inverno. Mas estava com um problema sério e queria a opinião do Higino, que também se revelara um bom conselheiro em matéria de finanças e negócios. Higino não estava em casa. Laura foi procurá-lo no seu quartinho. Não o encontrou. Então viu a foto desaparecida do casamento sobre a mesa de cabeceira de Higino. Ele tinha rasgado o lado em que aparecia o Jair. Laura voltou para a cidade em seguida.

Laura não sabe o que vai fazer quando chegar na praia neste verão. Afinal, descobriu que durante todos estes anos o Higino dormiu com a sua foto ao lado da cama. Acha que vai ter que despedi-lo.

Enquanto dure

Depois da separação veio aquele momento difícil que é o da divisão das coisas.

Tudo o que eles tinham acumulado juntos, ou trazido das suas vidas separadas para compartilharem, de repente, precisava ser reidentificado como "Meu" ou "Seu".

Mais prática, como sempre, Taís já tinha tudo organizado quando José Eduardo chegou no apartamento.

– Esta pilha aqui é das minhas coisas, essa pilha é das suas coisas, esta caixa é para as coisas que vão fora.

– Me parece justo.

– Como, "justo"? Não tem nada a ver com justiça. O que é meu é meu e o que é seu é seu. Isto não é redistribuição de renda.

– Me expressei mal. Desculpe. Não quis dizer "justo". Quis dizer "tá". De acordo.

– Se fosse uma questão de justiça, eu é que tinha que reclamar. Sua pilha é muito maior do que a minha.

– Está certo, Taís.

– O que você tinha de papel velho... Só de suplemento cultural guardado para ler depois tem mais de um metro.

– Está bem, Taís!

– Você quer a Efigênia?

Era uma pequena escultura, um busto de mulher que ele apelidara de Efigênia.

– Não, não.

– Você sempre gostou dela.

– Pode ficar.

– Alguma coisa da cozinha?

– Não.

– A mostarda?

– Não. Nada. Bom, talvez aquelas alcaparras italianas.

– Que alcaparras italianas?

– Aquele vidrinho. As alcaparras pequeninhas.

– José Eduardo, aquele vidrinho acabou há mais de um ano.

– É? Então não quero nada.

– Você quer examinar a minha pilha?

– Não precisa, eu... Espera aí. Esse Vinícius de Moraes é meu.

– É meu.

– Não senhora. Tenho certeza de que é meu.

– É meu, José Eduardo.

– Me lembro claramente de ter comprado esse livro. Lembro até a livraria.

– Eu ganhei esse livro, José Eduardo.

– De quem?

– Não me lembro.

– Arrá!

– Como, "arrá"?

– Arrá. A, erre, erre, a. Você não lembra porque não ganhou de ninguém. O livro é meu.

Taís não disse nada. Pegou o livro da sua pilha, irritada, e abriu na primeira página.

– Está aqui. Tem até dedicatória. "Taís. Que o nosso amor seja eterno enquanto dure. Um beijo carinhoso do..."

Ela parou. Ele perguntou:

– Quem?

Taís hesitou. Depois respondeu.

– Você.

– Eu?!

– Você me deu o livro. Vinte de outubro de 86. Nós éramos namorados.

Ele pegou o livro das mãos dela, leu a dedicatória, depois fechou o livro e recolocou na pilha. Os dois ficaram em silêncio, emocionados. Ela foi olhar pela janela, para disfarçar. Ele espiou dentro da caixa de coisas que iam fora, só para ter o que fazer.

– Taís! Meu time de botão!

– O quê?!

– Você ia botar meu time de botão no lixo!

– Francamente, José Eduardo. Estava no fundo do armário.

– Olha aqui! Olha aqui!

Ele tinha resgatado um botão de dentro da caixa e o brandia como prova acusatória.

– O Rivelino! Você ia jogar fora o Rivelino!

O SONHO

Conheceram-se num desfile de modas. Os dois estreavam como manequins. Ela estava nervosa.

– É essa mania nova de fazerem desfiles dançados. Tenho medo do ridículo.

Ele a acalmou.

– Não se preocupe. Olhe para mim e faça tudo que eu faço.

– Você sabe dançar?

– Não, mas seremos ridículos juntos. Dividiremos a atenção da platéia.

Ele era assim, um pouco cínico. E, além de bonito e atlético, tinha algumas idéias na cabeça. Duas, para ser exato. Ela disse:

– Mamãe me contou que no tempo dela era diferente. A missa era em latim e desfile de moda era desfilado mesmo. Mamãe às vezes acha que Lefèbvre tem razão.

– Esse Lefèbvre é costureiro?

Apaixonaram-se.

Na mesa de um bar, ele revelou a ela o maior sonho da sua vida. Ela achou aquilo incrível. Era o maior sonho dela também! Um dia eles o realizariam. Juntos. O bar não era de verdade. Era o cenário para um comercial de TV. O diretor interrompeu a filmagem, irritado. Será que aquele casal lá atrás podia falar mais baixo? Estava atrapalhando a fala dos atores principais.

Passaram algum tempo tão ocupados que mal podiam se encontrar. Quando se encontraram, num comercial de refrigerante, ela contou que tinha feito alguns pastorais. Sabe, comercial com mulher de branco andando pelo campo, em câmera lenta. Bons para a imagem. Mas também fizera uma série de comerciais de detergentes no papel da vilã.

– Vilã?

É. A que nunca acredita que o detergente lava mais branco. Ruim para a imagem.

– Pior que fazer a que não usa desodorante.

– Ou a "antes" em comercial de anti-sarda. E você, o que tem feito?

Ele fizera alguns caspa e xampu. Dera azar. Tivera um acesso de tosse no fim de um filme sobre uísque, logo quando tinha que dizer a palavra "suave". Mas quase realizara o seu sonho.

– O quê?!

– É. Um filme sobre cigarro. Depois descobri que o cigarro era classe C. Só tinha cavalo e cowboy.

Ela também deu azar. Foi fazer a mãe num comercial de iogurte, se irritou, brigou com todo mundo e quase bateu nas crianças. Ele perdeu um cachê porque sua cara antes e depois de tomar um remédio para o fígado era exatamente igual. Mas um dia...

Um dia realizariam o seu sonho: um comercial de cigarro de luxo! Classe A. Ele a buscaria no seu Rolls Royce com chofer. Acenderia seu cigarro com um isqueiro de ouro e jogaria o isqueiro fora. Dançariam de madrugada sob o Arco do Triunfo. Só eles e 100 violinistas. Ela acenderia outro cigarro na chama eterna do soldado desconhecido.

E viveriam felizes para sempre.

INIMIGOS

O apelido da Maria Teresa, para o Norberto, era "Quequinha". Depois do casamento, sempre que queria contar para os outros uma da sua mulher, o Norberto pegava sua mão, carinhosamente, e começava:

– Pois a Quequinha...

E a Quequinha, dengosa, protestava:

– Ora, Beto!

Com o passar do tempo, o Norberto deixou de chamar a Maria Teresa de Quequinha. Se ela estivesse ao seu lado e ele quisesse se referir a ela, dizia:

– A mulher aqui...

Ou, às vezes:

– Esta mulherzinha...

Mas nunca mais Quequinha.

(O tempo, o tempo. O amor tem mil inimigos, mas o pior deles é o tempo. O tempo ataca em silêncio. O tempo usa armas químicas.)

Com o tempo, Norberto passou a tratar a mulher por "Ela".

– Ela odeia o Charles Bronson.

– Ah, não gosto mesmo.

Deve-se dizer que o Norberto, a esta altura, embora a chamasse de Ela, ainda usava um vago gesto da mão para indicá-la. Pior foi quando passou a dizer "essa aí" e a apontar com o queixo.

– Essa aí...

E apontava com o queixo, até curvando a boca com um certo desdém.

(O tempo, o tempo. O tempo captura o amor e não o mata na hora. Vai tirando uma asa, depois a outra...)

Hoje, quando quer contar alguma coisa da mulher, o Norberto nem olha na sua direção. Faz um meneio de lado com a cabeça e diz:

– Aquilo...

Paixões

Quem entende como as pessoas se apaixonam? Pode acontecer de uma hora para outra. Você conhece uma pessoa a vida inteira e um dia nota alguma coisa, um detalhe que nunca tinha percebido antes, e pimba: amor à milésima vista. O Valter e a Nancy, por exemplo. Amigos desde o tempo de escola, o Valter conta que aconteceu num dia em que os dois vinham pela rua com uma turma, a Nancy um pouco na frente, e de repente ela levantou o cabelo por trás com as duas mãos e segurou no topo da cabeça, mas sobraram alguns fios. Aqueles fios finos e curtos que cobrem a nuca, o Valter diz que foram os cabelos da nuca. Ele foi tomado de um tamanho sentimento de carinho por aqueles fios na nuca da Nancy que chegou a parar, diz ele que para não chorar. Depois correu atrás dela e beijou a nuca, e no dia seguinte estavam namorando firme, para surpresa de amigos e familiares. Já a Nancy diz que não se apaixonou na hora, só dias mais tarde. E só quando o Valter não está perto conta como aconteceu. Se apaixonou numa festa em que foi com o Valter e na qual, quando gritaram "Todo mundo nu!", o Valter tirou um saco plástico, dobrado, do bolso. Tinha trazido um saco plástico para guardar sua roupa e a dela e evitar que se misturassem com as dos outros. Aquilo a enterneceu. "Foi o saco plástico", conta a Nancy.

Como o amor acaba é outro mistério. A Joyce e o Paquette, por exemplo. Namoraram anos, noivaram, casaram e tudo acabou numa noite. Acabou numa frase. Os dois estavam numa discoteca, sentados lado a lado, vendo os mais jovens se contorcendo na pista de dança, e o Paquette gritou:

– Viu a música que está tocando?
E a Joyce:
– O quê?!
– A música. Estão tocando a nossa música. Lembra?
– Hein?
– Estão tocando a nossa música!
– O quê?
– A música. Do nosso noivado. Lembra?
– Eu não consigo ouvir nada com essa porcaria de música!
– Esquece.

ooo

Dizem que era a piada favorita do Dr. Freud. Recém-casados na cama. Apaixonadíssimos. Um fala para o outro:
– Se um de nós morrer antes do outro, eu prometo que não me caso de novo.

ooo

Outra paixão misteriosa é do homem pelo seu carro. Ou não tão misteriosa. A sensação de que basta espremer um pequeno acelerador para ter vários cavalos de força sob seu comando é um dos maiores prazeres que o mundo moderno proporciona ao homem. O homem e a máquina são uma coisa só. O motor é a sua energia, o sistema elétrico são os seus nervos em perfeita sincronia, os pneus são suas garras de tigre devorando distâncias sem esforço, a gasolina é seu sangue, as prestações a pagar são seus vínculos com a realidade e com seus limites humanos.

Às vezes a identificação do dono com a máquina vai longe demais, como no caso do homem que bateu com seu carro, não se machucou, mas passou a sentir todas as dores do carro. De noite gemia como se fosse o carro. Sentia dores no lado, onde a lataria do carro amassou, uma dor no olho correspondendo ao farol quebrado do carro.

Acordava de manhã com dores generalizadas no esqueleto correspondendo ao abalo na estrutura do carro. Mas o pior, segundo a mulher dele contou ao médico, eram as manchas de óleo no lençol.

E há casos mais graves.

– Me apaixonei por uma Kombi, doutor.

– Sim.

– Quando não estou dentro da Kombi, só penso nela. Nas suas formas. No calor do seu estofado. No seu volante roliço em minhas mãos...

– Certo. E qual é o problema?

– Minha mulher ainda não sabe, e não sei como contar a ela. Já sei o que ela vai dizer. "Ou a Kombi, ou eu." O que que eu faço, doutor?

– Acho que você deve pesar bem a situação. De que ano é a sua mulher? Ela carrega qualquer tipo de carga? E suas cadeiras, também são removíveis?

O ciúme é um problema.

– Limpando o seu carro de novo?

– Só dando um brilho.

– Mas às quatro da manhã?!

– E daí?

– Se você me desse metade da atenção que dá a esse carro...

– Ora, meu bem, que bobagem. Vem aqui, vem.

A mulher vai e ele começa a passar a flanela nas suas costas também. Sem tirar os olhos do carro.

Fora do carro, você está preparado a fazer todas as concessões em nome da cortesia e da boa convivência. Você é respeitoso, pacífico, solícito – enfim, um pedestre. Mas entre no seu carro e veja o que acontece. A civilização desaparece, a besta toma conta. Alguns racionalizam esta transformação e explicam que só agem assim em legítima defesa. Precisam se defender de palermas que querem deter a sua marcha e só estão esperando uma oportunidade para arranhar seu pára-lama e roubar sua vaga. Ou seja, todos os outros motoristas. O inimigo.

Não é por nada que Sigmund Freud nunca quis ter automóvel. Sabia de todas as suas conotações simbólicas. Preferia uma charrete. Que, curiosamente, ele chamava de "mamãe".

O que fazem os vagalumes de dia?

— Pa-ô-la (desde o começo ele a chamara assim, como se o nome dela fosse espanhol), este nosso caso...

— Que caso?

— Nós não estamos tendo um caso?

— Que idéia, Dan!

Ele se chamava Daniel.

— Se nós não estamos tendo um caso, estamos tendo exatamente o quê?

— Sei lá, mas caso não é.

— Pa-ô-la...

— Caso é assim uma coisa clandestina. Adultério. Precisa ser casado.

— Acho que quando tem sexo no meio, é caso. Independente do estado civil.

— Que idéia! Nada disso. O que nós estamos tendo é um namoro.

— Não. Namoro eu conheço. Não é namoro.

— Então é amizade. Só porque a gente dorme junto não pode ser amizade?

— Pa-ô-la. Há sete meses nós só dormimos um com o outro. Nos vemos todos os dias. Andamos abraçados na rua.

— Então. Uma boa amizade.

— Comemos sorvete de casquinha com a mesma colher, Pa-ô-la.

— E daí?

— Em certas sociedades primitivas, comer sorvete de casquinha com a mesma colher vale mais que pacto de sangue.

– Não vem.

– E o que você diz quando está tendo um...

– Eu sei o que eu digo!

– "Dan, Danzinho, amor, vida, paixão."

– É a emoção, ora. Nessas horas a gente diz qualquer coisa. Uma amiga minha grita o nome de todos os apóstolos. E você, que quando me vê só falta chorar? Mesmo que a gente tenha dormido junto na noite anterior. Oito horas sem me ver e faz um escândalo.

– Mas eu estou tendo um caso com você. Um caso muito bonito. Pena que você não esteja participando dele.

– Não vem, Dan.

– Não. Tudo bem. Somos apenas bons amigos. Onde está escrito "Dan, Danzinho, amor, vida, paixão", leia-se "Ai que bom".

– Está certo. Não é amizade. Mas não é caso.

– Romance.

– Também não.

– Um espasmo. Um descontrole hormonal.

– Pára.

– Uma história.

– Isso. Uma história. Está rolando uma história entre nós.

– Que tipo de história?

– Como, que tipo?

– Cômica, séria, trágica... Acaba como?

– E eu sei?

– Só pra minha orientação.

– Por que isto, de repente? Por que esta preocupação? Estamos tendo um ca... uma história legal, sem grilo...

– Mas nós não sabemos o que é. Você não tem necessidade de saber o que está acontecendo com você?

– Pra quê? Deixa acontecer.

– Imagina se esta história acaba num crime. Tudo que está acontecendo agora ganha outro significado. Nós podemos estar vivendo o prólogo de uma tragédia sem saber. Se a gente soubesse o que é, e como acaba...

– Ah, é? Se eu soubesse que você ia me matar no fim, sabe o que eu fazia? Matava você agora. Rá, rá. Mudava o fim.

– Exatamente! Nós precisamos saber o que está nos acontecendo para agir conscientemente, para aproveitar melhor a história e até mudá-la.

– E, mesmo, você é incapaz de matar uma mosca.

– Mas você não me viu com mosquitos.

– Quer saber de uma coisa?

– Uma vez, quando era guri, desmembrei uma formiga. Você não me conhece.

– Me ouve.

– E se esta história acaba em casamento? Filhos, essas coisas. Hein? E se acaba em almoços de domingo e planos de saúde? Nós precisamos saber no que estamos nos metendo!

– Sabe que eu acho que vou mesmo matar você? Assim você fica sabendo o fim e pára de chatear.

– Pa-ô-la...

– Taí. É um conto.

– Um conto?!

– Daqueles que começa no meio de um diálogo, não acontece nada e termina no ar. Ninguém fica sabendo o que vai acontecer depois.

– Não faz isso comigo, Pa-ô-la.

– Com um título que não tem nada a ver com nada.

– Um conto, Pa-ô-la? Isto é só um conto? Um naco de história? Um diálogo perdido? Um...

Santa Helena

O primeiro exilado na ilha de Santa Helena não foi Napoleão Bonaparte, foi um nobre português chamado Fernando Lopez. Em 1510, Lopez tinha sido deixado no comando de uma fortaleza recém dominada pelos portugueses em Goa, na Índia. Dois anos depois, os conquistadores portugueses voltaram e descobriram que Lopez e sua guarnição tinham se convertido ao maometismo. Lopez foi punido com a amputação da mão direita, as duas orelhas e o nariz, para aprender a não aderir aos bárbaros. Na volta para Portugal, sentindo-se incapaz de encarar a sua família sem cara, Lopez abandonou o barco e auto-exilou-se em Santa Helena. E ficou lá até o fim da vida, trinta anos, durante os quais plantou videiras e pomares e transformou a ilha num paraíso. Quando os ingleses mandaram Napoleão para Santa Helena, mais de trezentos anos depois, não havia vestígio do que Lopez plantara. A ilha voltara a ser um lugar desolado, uma pedra no meio do nada, varrida por ventos sem remorso, onde o imperador deveria refletir sobre suas glórias e seus pecados até morrer.

Mas há um terceiro exilado na história de Santa Helena. O carcereiro oficial de Napoleão. Digamos que seu nome fosse William. Por uma daquelas formalidades irracionais de que os ingleses gostam tanto, ele era obrigado a, diariamente, se certificar de que Napoleão estava em sua casa, para reportar à Coroa caso a Coroa perguntasse. Ele não tinha nenhum posto na tropa inglesa que ocupava a ilha. Nem se sabe (ou eu não sei) se era militar. Sua única missão na vida era enxergar Napoleão.

Provavelmente fazia um relatório todas as noites, dizendo sempre a mesma coisa com palavras diferentes. "Sim". "Esta lá". "Continua lá". "É ele". "Vi o desgraçado!". Etc. Como Napoleão provava a William sua presença dentro da casa? Mostrava a cara numa janela, na hora combinada? Talvez, um dia, com especial enfaro, mostrasse a bunda. Ou apenas um dedinho, forçando William a deduzir que o dedinho era o dele. Pode-se imaginar que os dois tenham, lentamente, enlouquecido juntos. E que depois de um certo tempo Napoleão convidasse William a trocar a frugal vida da caserna pelas mordomias da sua casa, e conversassem todas as noites até que viesse o sono, ou o delírio.

– Vamos, homem. Coma. Beba. Jamais sairemos desta maldita ilha, mesmo.

– Não me dê ordens. Você é o preso, eu sou o carcereiro. Você é o derrotado, eu sou o vencedor. Você não é mais um imperador. Nós somos iguais.

– Iguais? Você e eu?

– Iguais. Apenas dois homens longe de casa, com suas memórias.

– Sim, mas as minhas memórias de casa são de um império, enquanto as suas são, no máximo, de um pudim.

– Somos iguais! Dois bichos numa ilha calcinada. Duas vasilhas vazias, atiradas no mesmo terreno baldio. Não interessa se antes elas tinham, dentro, conhaque caro e rum barato. Agora somos iguais. Os mesmos dois olhos, as mesmas duas orelhas, o mesmo nariz...

– Diga-me, William. Como você pode ter certeza que eu estou mesmo aqui? De tanto me ver todos estes anos você agora me vê em toda parte. Para você, me ver não é mais um acontecimento, é um tic. Você sonha comigo. Eu não estou mais aqui, William. Eu já fugi. Isto é um delírio.

– Nariz... Sabe com quem que eu sonho, Nappy? Sabe quem aparece nos meus delírios?

– Quem? Se for mulher, me empresta.

– Lopez, o português. Ele passeia pelo meu cérebro como um fantasma shakespeareano, dizendo coisas.

– E o que ele diz, Will?

– Diz que somos iguais.

– Você é um maníaco igualitário, Will.

– Diz que eu sou igual a ele. Que ele plantou pomares e videiras e cobriu a ilha de flores, mas não podia cheirá-las, porque não tinha nariz. Era como estar no paraíso e não estar. Era como estar no paraíso de outra pessoa.

– Como você, Will. Você está na minha história e não está, pois ninguém lembrará do seu nome quando eu estiver na minha cripta dos Invalides. Você tem a liberdade que eu não tenho, mas não pode aproveitá-la enquanto eu estiver aqui, como o Lopez não podia cheirar seus pomares. Bom observador, esse Lopez. Eu o convidaria para jantar, se não fosse assustar a criadagem. E dizem que três fantasmas na mesa dá azar.

– Só vejo um fantasma em minha frente.

– Outro delírio, Will. Você é o fantasma nesta ilha. Eu sou real. Mais do que isto, eu sou imperial. Posso ser o primeiro louco da história que pensou que era Napoleão, mas, em compensação, nenhum louco, jamais, em toda a história, pensará que é você.

– Olha ele ali!

– Quem?

– Lopez. Atrás da vidraça. Terrível visão! Todos os homens sem cara da História, todos os insignificantes, todos os mutilados pelo anonimato e o esquecimento do mundo – e ele está me abanando!

– Controle-se, Will. Pare de ter visões. Ordeno que você não veja mais ninguém além de mim. Você só existe para me ver, eu só existo enquanto você me vê. Minha posteridade é você. Os ingleses acharam que uma ilha era demais, me exilaram no seu nervo ótico. Troquei um continente por uma retina. Pronto, você está contente? Esse é o seu poder e sua significância. Se esfregar os olhos, você me apaga da História. Prove o bouquet deste vinho.

– Mmmm...

– Viu? Ainda nos restam pequenos consolos. Ao contrário de Lopez, ainda temos uma mão para erguer o vinho e nariz para cheirá-lo. E orelhas para estes nossos papos.

– As orelhas eu dispenso.

– Will, Will...

BACALHAU

Vítor e Vivinha decidiram dar uma última chance a seu casamento. Depois de dez anos, nada mais dava certo, se irritavam um com o outro – era preciso ir atrás do amor perdido. E o lugar para procurá-lo era o restaurante onde tinham se conhecido, onde tinham ido na primeira vez em que saíram juntos, onde ele a pedira em casamento e onde comemoravam a data todos os anos. Até o sexto, quando, por alguma razão, pararam de freqüentar o restaurante. Se o que tinham perdido estava em algum lugar, estaria no velho restaurante. Talvez as risadas dadas e as promessas de amor secreto ainda estivessem lá, presas no teto como balões de aniversário esquecidos, esperando o resgate. E se não estivessem, pelo menos haveria os bolinhos de bacalhau.

O restaurante continuava no mesmo lugar. Estava vazio.

– Até as toalhas são as mesmas! – disse Vivinha.

E os dois sentaram-se e ficaram se sorrindo, enternecidos, as boas lembranças rondando a mesa como fantasmas solícitos. Até que veio o garçom. Seria o mesmo do tempo deles?

– O senhor é o Adolfo?

– Não – respondeu o garçom.

E não fez qualquer comentário. Não ser o Adolfo parecia um fato ao qual ele se resignara há muito tempo. Vítor tamborilou a mesa com os dedos – um de seus hábitos que ultimamente irritavam Vivinha – e pediu:

– Antes de mais nada: bolinhos de bacalhau!

O garçom afastou-se, claramente não contagiado pelo entusiasmo de Vítor. Deixou sobre a mesa um cardápio datilografado e plastificado. Nada como os de antigamente. Vivinha examinou o cardápio, depois de pousar sua mão suavemente sobre os dedos agitados de Vítor, para fazê-los parar.

– Mudou tudo – disse Vivinha, largando o cardápio.

Ficaram de mãos dadas, olhando em volta, sorrindo levemente mas sem dizer nada, até chegarem os bolinhos. Quatro. Cada um pegou um, mordeu e começou a mastigar.

– E então? – perguntou Vítor, depois de um tempo.

– Ainda não cheguei no bacalhau.

– O meu está ótimo.

– Você está brincando.

– Não, está ótimo. Igual ao que era no nosso tempo.

– Só que no nosso tempo era de bacalhau mesmo. Agora é de batata.

– Como, batata? E este gosto de bacalhau?

– Eles usam outro tipo de peixe. Muita batata, e um peixe barato. Bacalhau está muito caro.

– Eu estou sentindo um gosto bem definido de bacalhau. Igualzinho ao que eu me lembrava.

– Não é mais o mesmo, Vítor.

– Acho que é má vontade sua.

– Não sou eu, Vítor. É o bolinho.

Vítor pegou outro bolinho e botou inteiro na boca. Mastigou furiosamente.

– Mmmm – disse, desafiador.

– Vítor...

– Ô Adolfo! – gritou Vítor para o garçom, de boca cheia. – Mais quatro. E duas cervejas.

– Vítor, você pode mastigar esses bolinhos o quanto quiser, não vai encontrar bacalhau.

– Pois eu digo que é bacalhau.

– Não é mais, Vítor.

Ele parou de mastigar. Tirou o que sobrara da boca e colocou no prato. Olhou para Vivinha.

– E se a gente fingisse que é bacalhau?

– Não dá, Vítor.

O garçom chegou com as cervejas. Disse que os bolinhos estavam vindo.

– Suspende – ordenou Vítor.

– Vão pedir mais alguma coisa? – perguntou o garçom, indicando o cardápio com um queixo desdenhoso.

– Ainda não escolhemos.

Quando o garçom foi embora, Vítor inclinou-se para Vivinha e disse:

– Sabe o que eu acho? Acho que no nosso tempo já não era bacalhau. E a gente adorava.

– Era bacalhau.

– Não era! Nada era bacalhau naquela época. Mas você revirava os olhos assim mesmo.

E Vítor recomeçou a batucar na mesa com os dedos até Vivinha abafar suas mãos com as dela. Desta vez com raiva.

DO CASAMENTO

O casamento foi a maneira que a humanidade encontrou de propagar a espécie sem causar falatório na vizinhança. As tradições matrimoniais se transformaram através dos tempos e variam de cultura para cultura. Em certas sociedades primitivas o tempo gasto nas preliminares do casamento – corte, namoro, noivado, etc... – era abreviado. O macho escolhia uma fêmea, batia com um tacape na sua cabeça e a arrastava para a sua caverna. Com o passar do tempo este método foi sendo abandonado, por pressão dos buffets, das lojas de presente e das mulheres, que não admitiam um período pré-conjugal tão curto. O homem precisava aproximar-se dela, cheirar seus cabelos, grunhir no seu ouvido, mordiscar a sua orelha e só então, quando ela estivesse distraída, bater com o tacape na sua cabeça e arrastá-la para a caverna.

ooo

A Bíblia não esclarece se Adão e Eva chegaram a se casar, formalmente. Deve ter havido algum tipo de solenidade. Na ausência de um padre, o próprio Criador, na qualidade de maior autoridade presente, deve ter oficiado a cerimônia. No momento em que Deus perguntou se alguém sabia de alguma razão para que aquele casamento não se realizasse, Adão chegou a ter alguma esperança (afinal, era muito moço, não sabia se estava pronto para um passo tão importante, e ele e Eva mal se conheciam), mas não apareceu ninguém. Os bichos chegaram a trocar olhares, mas não sabiam falar e nenhum deu um pio. A cerimônia foi simples e rápida e apesar de alguns problemas – Adão não tinha onde carregar as alianças,

46

por exemplo – chegou ao seu final sem tropeços. E Adão e Eva viveram felizes por 930 anos, e isso que na época ainda não existiam os antibióticos, apesar daquele problema com os garotos. E, claro, do caso com a serpente.

ooo

Mais tarde, instituiu-se o dote. Ou seja, as mulheres, como caixas de sabão em pó, passaram a vir com brindes. O pai da noiva oferecia, digamos, dez cântaros de azeite e dois camelos ao noivo e ainda dizia:

– Pode examinar os dentes.

– Deixa ver...

– Da noiva não, dos camelos!

Houve uma época em que os pais se encarregavam de casar os filhos sem que eles soubessem. Muitas vezes, depois da cerimônia nupcial, os noivos saíam, ofegantes, para a lua-de-mel, entravam na sua alcova perfumada, tiravam as roupas, aproximavam-se um do outro – e apertavam-se as mãos.

– Prazer.

– Prazer.

– Você é daqui mesmo?

ooo

Eram comuns os casamentos por conveniência. A literatura romântica está cheia de pobres moças obrigadas a se sujeitar a velhos com gota e mau hálito para salvar uma fortuna familiar, um nome ou um reino. Sonhando, sempre, com um Príncipe Encantado que as arrebataria. O sonho era sempre com um príncipe. Nenhuma sonhava com um Cavalariço ou com um Caixeiro Encantado. Mais tarde veio a era do Bom Partido. Podiam namorar quem quisessem, inclusive o Cascão, coleguinha da escola, mas na hora de casar...

– Vou me casar com o Cascão.

– O quê?

– Nós nos amamos.

– Ele está estudando o quê?

– Jornalismo.

– Argk!

A era do Bom Partido acabou quando a mulher ganhou sua independência. Paradoxalmente, foi quando abandonou a velha idéia romântica do ser frágil e sonhador que a mulher pôde realizar o ideal romântico do casamento por amor. Até com o Cascão.

o o o

Mas tudo isto é do tempo em que as pessoas se casavam.

SEGURANÇA

O ponto de venda mais forte do condomínio era a sua segurança. Havia as belas casas, os jardins, os playgrounds, as piscinas, mas havia, acima de tudo, segurança. Toda a área era cercada por um muro alto. Havia um portão principal com guardas que controlavam tudo por um circuito fechado de TV. Só entravam no condomínio os proprietários e visitantes devidamente identificados e crachados.

Mas os assaltos começaram assim mesmo. Ladrões pulavam os muros e assaltavam as casas.

Os condôminos decidiram colocar torres com guardas ao longo do muro alto. Nos quatro lados. As inspeções tornaram-se mais rigorosas no portão de entrada. Agora não só os visitantes eram obrigados a usar crachá. Os proprietários e seus familiares também. Não passava ninguém pelo portão sem se identificar para a guarda. Nem as babás. Nem os bebês.

Mas os assaltos continuaram.

Decidiram eletrificar os muros. Houve protestos, mas no fim todos concordaram. O mais importante era a segurança. Quem tocasse no fio de alta tensão em cima do muro morreria eletrocutado. Se não morresse, atrairia para o local um batalhão de guardas com ordens de atirar para matar.

Mas os assaltos continuaram.

Grades nas janelas de todas as casas. Era o jeito. Mesmo se os ladrões ultrapassassem os altos muros, e o fio de alta tensão, e as patrulhas, e os cachorros, e a segunda cerca, de arame farpado, erguida dentro do perímetro, não conseguiriam entrar nas casas. Todas as janelas foram gradeadas.

Mas os assaltos continuaram.

Foi feito um apelo para que as pessoas saíssem de casa o mínimo possível. Dois assaltantes tinham entrado no condomínio no banco de trás do carro de um proprietário, com um revólver apontado para a sua nuca. Assaltaram a casa, depois saíram no carro roubado, com crachás roubados. Além do controle das entradas, passou a ser feito um rigoroso controle das saídas. Para sair, só com um exame demorado do crachá e com autorização expressa da guarda, que não queria conversa nem aceitava suborno.

Mas os assaltos continuaram.

Foi reforçada a guarda.

Construíram uma terceira cerca. As famílias de mais posses, com mais coisas para serem roubadas, mudaram-se para uma chamada área de segurança máxima.

E foi tomada uma medida extrema. Ninguém pode entrar no condomínio. Ninguém. Visitas, só num local predeterminado pela guarda, sob sua severa vigilância e por curtos períodos.

E ninguém pode sair.

Agora a segurança é completa. Não tem havido mais assaltos. Ninguém precisa temer pelo seu patrimônio. Os ladrões que passam pela calçada só conseguem espiar através do grande portão de ferro e talvez avistar um ou outro condômino agarrado às grades da sua casa, olhando melancolicamente para a rua.

Mas surgiu outro problema.

As tentativas de fuga. E há motins constantes de condôminos que tentam de qualquer maneira atingir a liberdade.

A guarda tem sido obrigada a agir com energia.

TESOURO

Dois velhos sátiros conversando. Sobre as menininhas.
– Que safra.
– Grande safra.
– Cada neném...
– Nem me fala.
– Lindas.
– E desinibidas.
– Desinibidas. Sem preconceitos.
– Informais.
– Nenhuma chama a gente de senhor.
– Agora, tem uma coisa...
– O quê?
– Não sei se acontece isto com você, mas às vezes...
– O quê?
– Falta papo. É ou não é?
– Como assim?
– Sei lá. Está certo que o que a gente procura nelas não é estímulo intelectual. Mas de vez em quando a gente gosta de, não é mesmo? Conversar. Trocar idéias.
– Nem que seja só para recuperar o fôlego.
– Exato. E não dá. Esta geração não leu nada.
– Nada.
– Antigamente ainda liam "O Pequeno Príncipe".
– Liam "O Pequeno Príncipe" demais, para o meu gosto.
– Mas liam. Quer dizer, rendia 5 minutos de conversa. Hoje, nem isto.

– Mas isso tem o seu lado bom.

– Bom?

– Bom, não. Formidável.

– Como, formidável?

– Você não vê?

– O quê?

– Você ainda não se deu conta?

– Do quê?

– Meu querido. Elas não conhecem Vinícius de Moraes!

– E o que que...

– Esta é a primeira geração brasileira em muitos anos a passar pela puberdade sem ler Vinícius de Moraes. Intocada por Vinícius de Moraes. Virgem de Vinícius de Moraes.

– Sim, mas...

– Lembra antigamente, quando a gente começava um verso do Vinícius para uma menininha? O que acontecia?

– Ela terminava.

– Isso. Sabia de cor. Claro que aquilo ajudava. Aproximava vocês. Você mostrava que era um cara sensível e ela se convencia de que, gostando dos mesmos versos, vocês eram feitos um para o outro. Nascia um amor eterno enquanto durasse, mesmo que fosse só uma noite.

– E hoje?

– Hoje você diz uma frase de Vinícius no ouvido de uma menininha e ela pensa que a frase é sua. É a mesma coisa, sem o Vinícius. Elimina-se o intermediário.

– Será?

– Há alguns anos eu estou passando frases do Vinícius de Moraes como se fossem minhas, improvisadas na hora. Poemas inteiros.

– Mas fazem efeito?

– O quê? Elas estão acostumadas com a conversa dos garotos da idade delas. Uma espécie de português reduzido às interjeições. Qualquer vocabulário com mais de dezessete palavras deixa elas extasiadas. As que não admiram a poesia, admiram a prolixidade.

– Eu não tinha pensado nisso.

– Experimente.

– E se aparecer uma que conhece o Vinícius? Serei desmascarado.

– Se aparecer uma que conhece o Vinícius será velha demais para você. E pense no seguinte: tudo que o Vinícius escreveu sobre o amor. Sem contar as letras de músicas. É um tesouro inesgotável. E tudo inédito, para elas. Ler o Vinícius, para refrescar a memória, é uma das últimas coisas que eu faço todas as noites, antes de dormir.

– E a última, qual é?

– Tomar a minha gemada.

O HOMEM QUE FALAVA NAIKI

Quando queriam dar uma idéia da erudição do dr. Solis, as pessoas diziam:

– Basta dizer que ele fala naiki.

Ninguém sabia onde, no mundo, se falava naiki e o próprio dr. Solis, sempre muito circunspecto, não ajudava. Dizia apenas:

– É uma língua do grupo dravídico...

Os pais apontavam o dr. Solis às crianças como exemplo de inteligência e cultura. Aliás, os dois exemplos da cidade eram o dr. Solis e o Lelo. O dr. Solis de inteligência e o Lelo – que não só não conhecia nenhuma língua, nem o português, como ainda achava que Zanzibar era verbo – de burrice. As crianças deviam estudar para não ser como o Lelo. E se estudassem muito um dia ainda seriam como o dr. Solis.

Caravanas de estudantes iam à casa do dr. Solis. "Viemos beber da sua cultura", dizia a professora. E as crianças, um pouco assustadas, rodeavam o dr. Solis na sua biblioteca. O dr. Solis sorria, pacientemente. Alguma pergunta?

– O senhor já leu todos esses livros?

– Já.

Às vezes uma se arriscava e pedia:

– Diz alguma coisa em naiki.

E o dr. Solis:

– Za cadu arramarraral cadverno.

– Traduz.

Mas aquilo já era pedir demais. A professora arrebanhava as

54

crianças para irem embora. Estavam cansando a inteligência do dr. Solis.

Alguns céticos da cidade desconfiavam que o dr. Solis era um farsante. E prepararam uma armadilha. Um dia chegaram na casa do dr. Solis com a notícia de que aparecera na cidade, imagine, outra pessoa que falava naiki. O dr. Solis não se afobou. Perguntou onde estava essa pessoa. No hotel? Muito bem. Então precisava ir até lá conversar com ela.

A novidade se espalhou. O Lelo anunciou que ia haver um monólogo entre os dois, e em naiki. Quando o dr. Solis chegou no hotel havia um bom público para assistir ao encontro das duas inteligências. O forasteiro, outro farsante, contratado para pôr o dr. Solis à prova, já o recebeu com uma frase:

– Bassau rarim al montul?

O dr. Solis franziu a testa e ficou olhando para o forasteiro, sem dizer nada. Depois disse:

– Como?

Já com um ar superior, o outro repetiu:

– Bassau rarim al montul?

Suspense na platéia. Será que o dr. Solis ia ser desmascarado? Será que os céticos tinham razão? Que todo este tempo o dr. Solis mentira para eles e realmente não sabia uma palavra em naiki? Nem "bom dia"?

– Repita, por favor – pediu o dr. Solis.

– Bassau rarim al montul?

Aí o dr. Solis sacudiu a cabeça lentamente, e, com um sorriso de divertida condescendência para seu interlocutor, comentou:

– Esses dialetos...

Foi carregado em triunfo pelas ruas da cidade. Que cabeça! Na frente do cortejo ia o Lelo, gritando:

– É um potentado. É um potentado!

OLÍMPICOS

Havia, na turma do pôquer, um certo ressentimento com as Olimpíadas. O assunto nem teria surgido se marcas redondas deixadas pelos copos no pano verde não tivessem formado, por acaso, um desenho parecido com o do símbolo olímpico.

– Olimpíadas... – disse um.

– Hmrnf – comentou outro.

– Hein?

– Eu disse "hmrnf".

– Ah. Com esse charuto na boca não se entende nada do que você diz.

– Quer dar as cartas?

– Dou cartas.

– Três.

– Esse não tem nada. Você: quantas?

A fumaça dos charutos pairava sobre a mesa como uma maldição. Há quatro horas que os cinco aspiravam e expiravam o mesmo ar; que não melhorava nada com o uso prolongado.

– Olimpíadas... – tentou de novo o primeiro.

– Hmrnf – repetiu o segundo, chuliando as cartas a poucos milímetros da ponta do charuto.

– Eu acho bonito – disse um terceiro.

Todos o olharam com um certo espanto.

– O quê?

– Sei lá. Aquela rapaziada saudável. O congraçamento entre as nações...

Murmúrios de desaprovação em volta da mesa. Pouco entusiasmo pela saúde. Menos ainda pelo congraçamento universal. Alguém tentou salvar alguma coisa:

– Da natação eu gosto...

– Só de olhar me dá angina – tossiu outro.

– Alguém pode me explicar o nado borboleta?

– É assim, ó. Só que dentro d'água.

– Eu sei como é, pô. Mas pra que que serve?

– Como, pra que serve? Pra andar na água.

– Mas num naufrágio, por exemplo. Você vai sair nadando borboleta?

– Eu não vou sair de jeito nenhum. Vou afundar com a mesa de jogo, pra não me pegarem as fichas.

– Vamo jogá, vamo jogá!

– Esse tem trinca...

O jogo continua. Mas o assunto não morre.

– Devia ter pôquer nas Olimpíadas. Em vez de arco e flecha devia ter pôquer.

– Não pode.

– Por quê?

– É jogo de azar.

– Se me perguntarem eu confirmo tudo. Há quatro horas que não me vem um jogo. Bico.

– Eu vou. Duzentos.

– Eu pago. Já pensaram, a delegação de pôquer?

– Seus duzentos e mais duzentos.

– Eu ia desfilar de charuto e um copo na mão. Será que pegava mal? Estou fora.

– Quem é que disse que é jogo de azar? Requer destreza, resistência e caráter. Mau caráter, mas caráter. O objetivo do jogo é aterrorizar o inimigo. Teus quatrocentos e mais quatrocentos.

– Eu fujo.

– Uma seleção de pôquer... Alguns conceitos olímpicos teriam que ser revisados. Estou fora.

– "Mens sana in corpore assim, assim." Eu também.

– Pago teus quatrocentos!

– Enfim, um homem.

– Está aqui o meu jogo.

– Jogão. Leva.

– Falem mal da minha trinca agora.

– Trinca de noves levando tudo... Oh, jogo. Nenhum de nós chegaria à seleção, de pôquer.

– Ainda bem. Só ter que participar daquela inauguração...

– Espera aí. Aquilo eu gosto.

– O quê?!

– Você não gosta nem de revoada de pombos?

Falou o que tinha tido azar a noite toda:

– Tenho horror a revoada de pombos.

Depois de alguma hesitação, os outros concordaram. Revoada de pombos também não dava para agüentar.

– Dá as cartas, dá as cartas.

VINGANÇA

Foi no meio da noite. A mulher o sacudiu e perguntou:

– Jó é o da estátua de sal ou o da paciência?

– Ahn?

– Desculpe eu te acordar, mas eu não consigo dormir. Preciso saber.

– O quê? Quem?

– Qual é o da estátua de sal. O Jó ou o Lot?

– E eu sei? Que horas são?

– A mulher do Jó se transformou numa estátua de sal. Não é?

– Francamente...

– Ou foi a mulher do Lot?

– Dai-me paciência.

– Paciência. Isso. De quem é a paciência? É de Jó ou é de Lot? Se paciência for do Lot, a mulher é de Jó.

– Paciência de Jó. Claro!

– Tem certeza?

– TENHO!

– Então a mulher era do Lot.

– Exatamente.

– Finalmente, vou poder dormir.

Dali a cinco minutos, ele a sacudiu.

– Acorda.

– Iamsh...

– Qual é a diferença entre o Manet e o Monet?

– Iamsh?

– Quem é o Manet e quem é o Monet?

– Você me acordou só para... Isso é vingança, é?

– De maneira nenhuma. Um interlúdio cultural. Acho que todos os casais deviam acordar no meio da noite para ter conversas como esta. Vamos lá. Manet e Monet.

– Monet é o das flores, Manet é o da "Olympia".

– Não é o contrário?

– Não. Ou é? Não sei.

– Acho que é o contrário – disse ele, virando-se para o outro lado para dormir.

Meia hora depois ela saiu da cama. Tinha que procurar aquele livro sobre os impressionistas franceses. Não conseguiria dormir se não descobrisse quem era o Manet e quem era o Monet.

Depois que voltou para a cama, aliviada (Monet era o das flores, Manet era o da "Olympia"), ficou olhando o marido, que dormia.

E roncava.

Roncava! Inclinou-se e sussurrou no seu ouvido:

– Von Sternberg e Von Stroheim.

E foi dormir. Ele abriu os olhos. Levantou a cabeça e olhou em volta, atônito. O que acontecera? O que o acordara? Quem era o Von Sternberg e quem era o Von Stroheim?

Quando ela se levantou, de manhã, ele estava sentado na cama, de olhos arregalados.

– Quem era o do "Sunset Boulevard"? Von Sternberg ou Von Stroheim?

– Por quê?

– Não consegui dormir a noite toda. Acho que sonhei com um deles.

– Qual?

– Aí é que está. EU NÃO SEI!

– Bem feito.

– Foi você que...

– Eu que cochichei o nome deles no seu ouvido para você ficar na dúvida, acordar e não poder mais dormir? Eu não.

Ele jurou que se vingaria. Naquela noite, esperou que ela dormisse, depois inclinou-se e sussurrou no seu ouvido:

– Calvin Klein e Kevin Kline.

Dali a segundos, enquanto ele se ajeitava na cama para dormir com um sorriso nos lábios, ela abriu os olhos. Calvin Klein e Kevin Kline. Por que subitamente aqueles dois nomes tinham surgido em sua mente? E qual era o estilista e qual era o ator?

Quando amanheceu ela ainda estava acordada.

PAULÃO

Todos tinham entre 40 e 50 anos, aquela faixa de idade em que o homem subitamente descobre a própria mortalidade. Para entrar na Academia do Paulão, todos tinham passado pelo mesmo ritual. O Paulão dava um soco no ombro do novato e gritava, com seu jeito expansivo de ex-remador do Flamengo:

– Te conheço!

O novato massageava o ombro, meio sem graça, e dizia:

– Não estou me lembrando...

– Nunca nos vimos antes, mas sei tudo sobre você e sua barriga. Você passa o dia inteiro sentado. Só anda de carro. Em casa, fica atirado na frente da televisão, comendo porcaria. Bebe demais. Fuma. Agora que passou dos 40, decidiu tomar jeito. Por isso veio ao Paulão. Estou certo ou estou errado?

– Está certo.

Paulão dava uma gargalhada e outro soco no ombro do novo inscrito, que naquela noite não conseguiria mover os braços. Mas dormiria feliz, porque o sofrimento já começara. E se estava doendo era porque estava fazendo bem.

Paulão não dava folga às suas turmas de ginástica.

– Vamos lá, seus moles! Estão pensando que isto aqui é o quê? Aula de expressão corporal? Mexam esses traseiros de baiana!

O próprio Paulão, com mais de 50 anos, não tinha gordura e conservava seu corpo de atleta. Com a camiseta esticada sobre o tórax estufado, caminhava entre as suas vítimas, sem parar de falar.

– Cada centímetro a mais na cintura é um ano a menos de vida.

E, dando um soco na própria barriga:

– Olhem aqui. Uma tábua.

O grupo olhava para Paulão com um misto de ódio e adoração. Paulão os estava redimindo pelo martírio. Purgava, gota a gota, cada gole de chope indevido, cada garfada de fritura, cada excesso cometido no passado. Paulão os estava salvando da morte.

As ginásticas eram feitas no ritmo de uma ladainha macabra.

– Cigarro! – gritava Paulão.

E o grupo tinha que gritar:

– Mata!

– Gordura!

– Mata!

– Indolência!

– Mata!

– Bebida!

– Mata!

Um dia Paulão não apareceu na academia, que ficou fechada. No bar ao lado ninguém sabia do Paulão ou da recepcionista, a dona Neiva. O que teria acontecido? Ninguém sabia. Pela cabeça de todos passou a mesma coisa:

– Mulher!

– Mata!

Mas em seguida chegou a dona Neiva com os olhos injetados e a informação. O Paulão tinha morrido naquela madrugada. Coração. Ficou todo mundo paralisado em volta da notícia, estátuas de boca aberta. O Paulão?!

Aos poucos foram se dispersando. Um grupo de quatro ou cinco ficou por ali, em estado de choque, e quase sem sentir foi derivando para o bar. Alinharam-se contra o balcão. Um pediu uma cerveja. Dali a pouco um pediu um bolinho de bacalhau. Outro pediu batatinhas. E alguém, tomado de uma súbita fúria contra o inevitável, bateu no balcão e pediu: "Bacon!" O assunto, claro, era o Paulão, e o refrão era: "Quem diria." E teve um momento em que todos ficaram em silêncio, mastigando e olhando para nada, pensando: "Que merda."

CARDÍACOS

Conversa de safenado é uma subdivisão de conversa de cardíaco. Conversa de cardíaco tem várias subdivisões, cada uma com seu código próprio.

– Você já...?

– Ainda não.

As reticências da pergunta substituem a palavra "enfartou". Há cardíacos que já tiveram enfarte (ou o enfarte, ou enfartozinho, no caso de ter sido um enfarte pequeno ou do enfartado ter desenvolvido um certo carinho pelo que lhe aconteceu) e cardíacos que ainda não. Os que ainda não olham os que já com o respeito que todo amador dedica aos profissionais do seu ramo. Os que já olham os que ainda não com um misto de pena e desafio: eu já tive o meu e ainda estou aqui, velho. Quero ver você. (Há uma certa agressividade entre cardíacos. É a sua forma de serem solidários. De desviarem, uns para os outros, seu ressentimento com esse algoz comum, o coração e suas artérias próximas).

Outra subdivisão da conversa de cardíaco é a comparação de hemogramas.

– O meu bom está alto e o meu ruim está baixo.

– Parabéns!

O "parabéns" pode esconder a inveja. Exames de sangue são como exames de escola, há os que passam e há os que rodam, às vezes literalmente. Com a desvantagem que não adianta você colar do hemograma do vizinho. O "bom" refere-se ao colesterol bom, de que todos precisamos, o "ruim" ao seu oposto, o colesterol mau, o que nos mata.

E há aquela parte da conversa que sempre acaba em lamento e recriminações. A questão do exercício.

– Tens caminhado?

– Não. Cadê o tempo?

– Faz como eu, compra uma bicicleta ergométrica. É muito mais prático, pode-se usar com qualquer clima, é mais seguro...

– Você faz bicicleta ergométrica quantas vezes por semana?

– Nenhuma. Cadê tempo?

É nas conversas de safenados que o espírito de competição aparece com muito mais força entre os cardíacos. A hora de cada um dizer quantas pontes fez é um pouco como a hora de mostrar o jogo, no pôquer. A sensação é a mesma.

– Tenho duas safenas e uma mamária.

– Ganhei! Tenho três safenas e uma mamária.

(Três safenas e duas mamárias equivaleria a um "full hand" no pôquer. Pode ser batido, mas não facilmente.)

Para os sãos e os leigos não se sentirem diminuídos, explico que pontes de safena são feitas com as veias safenas que nós temos nas pernas. Como elas não fazem muita falta nas pernas, pode-se especular que foram postas ali já prevendo a sua eventual utilização como sobressalentes, por alguma Força Superior com um senso de humor discutível. As mamárias são veias que já estão no tórax e são apenas desviadas para outros fins, como os recursos do INPS pelo governo. As mamárias são mais confiáveis do que as safenas. Isto, talvez, se deva ao fato das safenas emigrarem da perna para o peito, onde precisam se ambientar, conhecer os novos vizinhos, etc., enquanto as mamárias já são da zona.

Sei lá.

Tenho três safenas e uma mamária. Algo como uma trinca, mas de ases. Não faço feio em nenhuma roda de safenados e já humilhei alguns. Mas sempre aparece alguém para dizer:

– As tuas três safenas na primeira operação, mais três safenas e uma mamária na segunda.

Sempre tem um mais exibido.

Contos de Verão

1. Nestor

– "Nestor" – repetiu ela. Depois: – Ninguém mais se chama Nestor.

– Devo ser o último.

– Você tem alguma outra coisa diferente?

– Faço isto.

Dobrou o dedo indicador para trás, até quase tocar o braço.

– Que mais?

– Multiplico qualquer número por qualquer número, até três dígitos.

– Trezentos e vinte e quatro vezes duzentos e um.

Ele fechou os olhos para pensar. Depois abriu-os e perguntou:

– Por quê?

– Como "por quê"?

– Eu sei a resposta, mas só digo se você for adiante.

– Como "for adiante"?

– For adiante. Perguntar tudo a meu respeito. Me contar tudo a seu respeito. Se nós passarmos deste ponto, não podemos voltar atrás. Vamos nos conhecer profundamente. Vamos ter um relacionamento intenso e total.

– Como "total"?

– Precisamos nos definir agora. Ou isto é um encontro casual na praia, e não significa nada, e nunca mais nos veremos, ou é o encontro das nossas vidas. Você escolhe. Eu já fiz a multiplicação na cabeça e já sei a resposta, mas só digo se você estiver disposta a ir adiante.

Ela hesitou. Disse:

– Eu tenho namorado.

– Então acho melhor parar por aqui.

Ela fechou um olho, fez uma careta e perguntou:

– Você é *muito* estranho?

– Não posso dizer. Você vai descobrir. Ou não.

Nova hesitação. Ela fazendo um buraco na areia com o calcanhar, tentando se decidir. Finalmente:

– Tá bom. Qual é o resultado?

– Sessenta e cinco mil, cento e vinte e quatro.

– Como é que eu sei se está certo?

– Você *não* sabe.

Dezessete anos depois ela perguntou se naquele dia, na praia, ele tinha acertado mesmo o número, e ele, apertando as correntes em torno do bustiê de couro preto que ela usava sobre a pele, respondeu:

– E eu me lembro?

2. Destino

– Sandoval não é um nome. É um destino.

Ele ficou só olhando, sem saber se ela estava caçoando ou filosofando. Depois perguntou:

– E o seu?

– Maria Alice.

Depois, sorrindo tristemente, ela disse:

– Meus pais não quiseram se arriscar.

E chamou um sorveteiro e pediu um Kibon de coco.

3. Destino 2

– Ingrid?

– É.

– Escandinava?

– Catarinense. Mas pode me chamar de "Nega".

– "Nega"?!

– Um apelido. Foi meu pai que pôs.

– Ironia?

– Premonição.

4. Ana Paula

– "Ana Paula"?!

– É. Por quê?

– Conta outra.

– Meu nome é Ana Paula.

– Você não vai acreditar, mas eu sempre sonhei em encontrar uma Ana Paula.

– Mesmo?

– E o meu sonho era... você. Escrito.

– Mesmo?!

– O cabelo, os olhos, até o formato do rosto.

– Que coisa!

– Sabe de uma coisa? Eu estou achando isso muito suspeito.

– Suspeito?

– Você não se chama Ana Paula, chama?

– Juro!

– Está pensando o quê? Pode parar.

– Mas...

– Você não me engana. Está tudo perfeito demais. Até o dentinho um pouco torto. Aí tem coisa. Peralá.

– Que coisa podia ter?

– Você acha que os sonhos se realizam, assim, no mais?

– Só sei que o meu nome é Ana Paula.

– Você ia chegar assim, como eu sempre sonhei? Até o jeito de falar? Pára.

– Desculpe se eu...

– Não. Pára. Aí tem coisa. Comigo não. Não caio nessa.

E ele se afastou às pressas, fugindo, quase derrubando o sorveteiro.

5. Dúvida

– Não me diga que você é o Santoro!

– Não sei. Será que sou?

– Amigo do Nelinho? Faixa preta? Batalhão de Suez? Aquela confusão na Joaquina? Ex-noivo da mulher do Alemão? O do caso do furgão incendiado que quase acabou com o Borba?

– Ahn... Como é o sobrenome desse Nelinho?

6. Levante

– Sumeris.

– Bonito nome. Estranho.

– Pois é.

– Era uma deusa do Oriente, não era?

– Sei lá.

– O meu é Pio.

– "Pio"?!

– Pio.

– De passarinho?

– Não, de devoto. Minha família era muito religiosa.

– Pio...

– Você é uma deusa?

– Ai, ai, ai...

– Do Oriente?

– Não sei. Carazinho é Oriente ou Ocidente?

Mas antes que a noite acabasse ele descobriria atrás da orelha dela um perfume de cedro e jasmim e lamberia das suas coxas o sal de Bet'said, que sustentava as caravanas.

Os MORALISTAS

— Você pensou bem no que vai fazer, Paulo?

— Pensei. Já estou decidido. Agora não volto atrás.

— Olhe lá, hein, rapaz...

Paulo está ao mesmo tempo comovido e surpreso com os três amigos. Assim que souberam do seu divórcio iminente, correram para visitá-lo no hotel. A solidariedade lhe faz bem. Mas não entende aquela insistência deles em dissuadi-lo. Afinal, todos sabiam que ele não se acertava mais com a mulher.

— Pense um pouco mais, Paulo. Reflita. Essas decisões súbitas...

— Mas que súbitas? Estamos praticamente separados há um ano!

— Dê outra chance ao seu casamento, Paulo.

— A Margarida é uma ótima mulher.

— Espera um pouquinho. Você mesmo deixou de freqüentar a nossa casa por causa da Margarida. Depois que ela chamou vocês de bêbados e expulsou todo mundo.

— E fez muito bem. Nós estávamos bêbados e tínhamos que ser expulsos.

— Outra coisa, Paulo. O divórcio. Sei lá...

— Eu não entendo mais nada. Você sempre defendeu o divórcio!

— É. Mas quando acontece com um amigo...

— Olha, Paulo. Eu não sou moralista. Mas acho a família uma coisa importantíssima. Acho que a família merece qualquer sacrifício.

— Pense nas crianças, Paulo. No trauma.

– Mas nós não temos filhos!

– Nos filhos dos outros, então. No mau exemplo.

– Mas isto é um absurdo! Vocês estão falando como se fosse o fim do mundo. Hoje, o divórcio é uma coisa comum. Não vai mudar nada.

– Como, não muda nada?

– Muda tudo!

– Você não sabe o que está dizendo, Paulo! Muda tudo.

– Muda o quê?

– Bom, para começar, você não vai poder mais freqüentar as nossas casas.

– As mulheres não vão tolerar.

– Você se transformará num pária social, Paulo.

– O quê?!

– Fora de brincadeira. Um reprobo.

– Puxa. Eu nunca pensei que vocês...

– Pense bem, Paulo. Dê tempo ao tempo.

– Deixe para decidir depois. Passado o verão.

– Reflita, Paulo. É uma decisão seríssima. Deixe para mais tarde.

– Está bem. Se vocês insistem...

Na saída, os três amigos conversam.

– Será que ele se convenceu?

– Acho que sim. Pelo menos vai adiar.

– E no solteiros contra casados da praia, este ano, ainda teremos ele no gol.

– Também, a idéia dele. Largar o gol dos casados logo agora. Em cima da hora. Quando não dava mais para arranjar substituto.

– Os casados nunca terão um goleiro como ele.

– Se insistirmos bastante, ele desiste definitivamente do divórcio.

– Vai agüentar a Margarida pelo resto da vida.

– Pelo time dos casados, qualquer sacrifício serve.

– Me diz uma coisa. Como divorciado, ele podia jogar no time dos solteiros?

– Podia.

– Impensável.

– É.
– Outra coisa.
– O quê?
– Não é reprobo. É réprobo. Acento no "e".
– Mas funcionou, não funcionou?

EXPLÍCITO

— **M**as que barbaridade...
– Que pouca vergonha!
– Como é que deixam?
– Olha só!
– Mas... Isso já é demais.
– Olha ali! Olha ali!
– Aquilo não pode ser o que eu estou pensando.
– É.
– Não é.
– Claro que é.
– Deve ser truque.
– Mas que truque?
– É de verdade?
– É, minha filha...
– Vamos falar mais baixo que já tem gente olhando pra trás...
– Eu disse que nós não devíamos ter vindo.
– Mas eu nunca pensei que... Olha lá!
– Shhhhh...
– Quando eu vi no jornal "explícito"...
– Muita gente já tinha me falado, mas eu não quis acreditar.
– Os cartazes eram escandalosos.
– As fotografias nos jornais eram terríveis.
– Só com as fotos na frente do cinema já fiquei indignada.
– Pouca vergonha.
– Barbaridade.
– O que é aquilo?

– É... Meu Deus. Será mesmo?

– Eu acho que é.

– Isso é o limite!

– Shhhh...

– Bem que o porteiro nos avisou.

– Depois das fotos na rua, nem precisava ter avisado.

– E depois se queixam que ninguém vem ao cinema. Para ver essa bandalheira?

– É... Olha ali. O que é que eles vão fazer? Ai meu Deus.

– O que é que esses dois estão nos aprontando?

– E o cachorro. Fica de olho no cachorro que numa dessas ele... Eu não disse?

– O cachorro também! Mas não respeitam mais nada.

– Por que as senhoras não vão para casa?

– Está falando comigo?

– Não dá conversa. Não dá conversa.

– Vão pra casa.

– Vai tu.

– Não te rebaixa. Imagina o tipo de gente que vem ver filme como esse.

– O que foi que houve? Fui falar com esse mal-educado e perdi a metade.

– O cachorro pegou e... Olha lá!

– Shhhh!

– O que é que ela vai fazer com o pincel atômico?

– Eu vou embora.

– Boa!

– Cala a boca, metido. Eu não vou a lugar nenhum.

– Olha ali!

– Eu sabia. Quando ela pegou o pincel...

– Barbaridade.

– Eu não agüento mais. Todo filme "explícito" que a gente vem ver é a mesma bandalheira. Este é o último.

– Eu acho que a gente devia ir embora.

– Espere um pouquinho. Me disseram que tem uma cena com um anão na maionese que é um pavor.

– Shhhh!

Experiência nova

Pegaram o cara em flagrante roubando galinhas de um galinheiro e levaram para a delegacia.

– Que vida mansa, hein, vagabundo? Roubando galinha pra ter o que comer sem precisar trabalhar. Vai pra cadeia!

– Não era pra mim não. Era pra vender.

– Pior. Venda de artigo roubado. Concorrência desleal com o comércio estabelecido. Sem-vergonha!

– Mas eu vendia mais caro.

– Mais caro?

– Espalhei o boato que as galinhas do galinheiro eram bichadas e as minhas não. E que as do galinheiro botavam ovos brancos enquanto as minhas botavam ovos marrons.

– Mas eram as mesmas galinhas, safado.

– Os ovos das minhas eu pintava.

– Que grande pilantra...

Mas já havia um certo respeito no tom do delegado.

– Ainda bem que tu vai preso. Se o dono do galinheiro te pega...

– Já me pegou. Fiz um acerto com ele. Me comprometi a não espalhar mais boato sobre as galinhas dele, e ele se comprometeu a aumentar os preços dos produtos dele para ficarem iguais aos meus. Convidamos outros donos de galinheiro a entrar no nosso esquema. Formamos um oligopólio. Ou, no caso, um ovigopólio.

– E o que você faz com o lucro do seu negócio?

– Especulo com dólar. Invisto alguma coisa no tráfico de

drogas. Comprei alguns deputados. Dois ou três ministros. Consegui a exclusividade no suprimento de galinhas e ovos para os programas de alimentação do governo e superfaturo os preços.

O delegado mandou pedir um cafezinho para o preso e perguntou se a cadeira estava confortável, se ele não queria uma almofada. Depois perguntou:

– Doutor, não me leve a mal, mas com tudo isso, o senhor não está milionário?

– Trilionário. Sem contar o que eu sonego do Imposto de Renda e o que tenho depositado ilegalmente no exterior.

– E, com tudo isso, o senhor continua roubando galinhas?

– Às vezes. Sabe como é.

– Não sei não, excelência. Me explique.

– É que, em todas essas minhas atividades, eu sinto falta de uma coisa. Do risco, entende? Daquela sensação de perigo, de estar fazendo uma coisa proibida, da iminência do castigo. Só roubando galinhas eu me sinto realmente um ladrão, e isso é excitante. Como agora. Fui pego, finalmente. Vou para a cadeia. É uma experiência nova.

– O que é isso, excelência? O senhor não vai ser preso não.

– Mas fui pego em flagrante pulando a cerca do galinheiro!

– Sim. Mas primário, e com esses antecedentes...

COBERTURA

Nosso amigo Egídio é solteiro e meio esquisitão, mas não é veado. Vivia entre o mais e o menos, com uma renda nunca bem explicada, e tinha o que ele mesmo chamava de "audácias literárias". Uns poemas até bons. E no mais bebia, ia muito a cinema e nos freqüentava. Não falava muito e nos permitia apenas frestas da sua vida. Contava, por exemplo, que nunca morara acima do quarto andar. E um dia chegou com uma notícia fantástica. Um pai que ele nem conhecia bem tinha morrido e lhe deixado um apartamento de cobertura. Egídio se viu, então, com uma renda que dava para viver no máximo até o quarto andar, vivendo numa cobertura.

Só nos convidou para conhecê-la depois de conseguir comprar cadeiras suficientes. E a decoração do apartamento era isso: cadeiras suficientes para os amigos, um colchão num dos quartos (eram dois) e, no grande terraço de cima (era duplex), uma minigeladeira e um balcão para bebidas. Foi lá, na inauguração festiva do apartamento, que Egídio nos contou que estava descobrindo o povo das coberturas.

Primeiro tinha descoberto, espantado, o céu. Sabia, claro, da existência das estrelas, mas nunca tinha prestado muita atenção. Passado o período de fascinação com o céu ("Substituiu a televisão em minha vida"), começara a olhar em volta e a investigar a vizinhança, concentrando-se nas coberturas. Dentro de um perímetro que permitia o abano e a identificação fisionômica, haviam quatro, e Egídio já estabelecera contato com três. A quarta era de uma mulher de idade indefinível que molhava suas plantas de biquíni e até então desprezara todos os acenos matinais de Egídio. Todas as coberturas tinham plantas, duas tinham pequenas piscinas, uma tinha o que parecia ser uma coleção de esculturas ao ar livre, eróticas ou sacras, Egídio ainda não conseguira decifrar. Ele estava convencido que, como um arqueólogo ao contrário, tropeçara numa civilização desconhecida no céu das cidades. O povo das coberturas era diferente. Ele não sabia se era a diferença que o fazia procurar as coberturas ou as coberturas que o tornavam diferente, mas era certamente outra civilização. E Egídio estava dedicado a estudá-la. Comprara binóculos.

Na segunda vez que visitamos o apartamento notamos que o terraço estava cheio de plantas, embora Egídio ainda não tivesse nem cama nem mesa e seu interesse conhecido por verdura, até então, se limitasse a compras na feira. As plantas tinham servido para aproximá-lo da mulher de biquíni e eles agora trocavam saudações entusiasmadas todas as manhãs, de pomar a pomar. Agitavam os braços, faziam grandes gestos de agradecimento ao sol ou à chuva e – no relato de Egídio – desenvolviam uma sólida identificação comunitária pela mímica. A mulher morava sozinha. Egídio podia jurar que ela era visitada, regularmente, por uma águia, e a levava para o quarto, mas nós todos concordamos que aquilo era um pouco forte.

Egídio já acumulara uma cultura considerável com suas observações da vizinhança e concluíra que era a vegetação, mais do que a altura e as piscinas, que fazia a diferença entre o povo das coberturas e o dos outros andares. O povo das coberturas distanciava-se o máximo possível do chão atrás de uma paradoxal compulsão agrícola. Não era a fascinação milenar do jardim suspenso. Era, no fundo, uma nostalgia da casa. Uma imposição telúrica. A cobertura era o térreo invertido e portanto uma espécie de exaltação do térreo. Ao contrário do que se pensa, vai-se para uma cobertura não por soberba social, mas por humildade, pela mais rasteira das virtudes. Vai-se atrás de um quintal.

E Egídio nos contou que estava à beira de uma revelação. Suspeitava que todas as coberturas da cidade formavam uma rede semafórica, uma silenciosa conspiração de sinais trocados acima da percepção comum e do controle das autoridades. Por enquanto era uma desconfiança apenas. Mas ele já captara luzes piscando numa cobertura e respondidas de outra num código desconhecido. Não era Morse, ele checara. Um código próprio, uma linguagem exclusiva, e exclusivamente noturna, espargindo-se por sobre os tetos da cidade que dormia sem saber de nada.

Segundo Egídio, ele ainda não fora incluído na rede porque talvez duvidassem das suas credenciais, já que entrara na irmandade aérea por acidente. Ou talvez concluíssem, de longe, através das suas lunetas (todas as coberturas tinham lunetas), que a dele era uma irreversível alma de quarto andar.

Egídio nos contou que passa as noites em claro, para decifrar o código e saber o que eles dizem. Acha que, decididamente, existe um intercâmbio clandestino entre os tetos municipais. Não descansará enquanto não descobrir o que eles combinam, e o incluírem no mistério.

Na saída, a Leonor comentou que o Egídio faria melhor se arranjasse panelas para a sua cozinha, ou uma mulher.

Dr. Gomide

Começou a ter sempre o mesmo sonho. Um pesadelo. Vinha caminhando por uma calçada coberta, atrás de arcos (depois identificou o cenário como um quadro do De Chirico), e quando passava sobre uma grade no chão uma mão o agarrava pelo tornozelo e o impedia de prosseguir. Enquanto se debatia para liberar o pé, era lentamente cercado por uma multidão. Identificava rostos na multidão: sua mãe, sua professora de catecismo, o czar Nicolau II com a família, três moços com o uniforme do São Paulo (depois descobriu que era a linha média dos anos 50, Bauer, Rui e Noronha), Indira Gandhi, Waldyk Soriano... A multidão variava a cada sonho, mas a sua mãe estava sempre lá, e gritava "Agora você vai me ouvir! Agora você vai me ouvir!" O cerco ficava cada vez mais opressivo, ele lutava desesperadamente para soltar o pé, e sempre acordava gritando "Não! Não!" e chutando a mulher. Depois de ter o mesmo sonho durante um mês, resolveu procurar ajuda. Não agüentava mais. Recomendaram que procurasse o dr. Gomide.

O dr. Gomide não era um psicanalista comum. Aliás, não era exatamente um psicanalista. Na porta do seu consultório estava escrito assim, "Não exatamente um psicanalista". Era famoso por acabar com pesadelos. Ele ouviu a descrição do sonho de olhos fechados, fazendo duas ou três perguntas. Depois disse: "Deixa comigo." E declarou que apareceria no sonho daquela noite. Mas como, aparecer no sonho? "Não se preocupe. Estarei lá." Faria, por assim dizer, uma análise "in loco", para não dizer "in louco". Mas como isso era possível?

– Deixa comigo.

O sonho daquela noite foi como o de todas as noites. O cenário vazio de De Chirico. Os arcos, a calçada, a grade no chão, a mão agarrando o tornozelo, a multidão aproximando-se sob os arcos, sua mãe na frente de dedo em riste. Ele começou a procurar o dr. Gomide entre as caras à sua frente (Carequinha, Café Filho, Marisol). Gritou "Dr. Gomide!" Viu uma mão que acenava sobre as cabeças da multidão, ouviu a voz do dr. Gomide que gritava: "Calma, estou chegando aí!". Mas a multidão avançava, sua mãe gritava "Agora você vai me ouvir! Agora você vai me ouvir!" e ele acordou gritando e chutando a mulher antes que o dr. Gomide chegasse.

No mesmo dia contou o sonho ao dr. Gomide, que fez "Hmmm" e acrescentou: "Deixa comigo." Naquela noite, quando o sonho começou, o dr. Gomide já estava ao seu lado. Quando a mão saiu do chão e o agarrou pelo tornozelo, o dr. Gomide examinou a mão e observou que tinha um anel de doutor. Aquilo lhe dizia alguma coisa?

– Meu pai. Ele usava um anel assim.

– Hmmm. Seu pai queria que você seguisse a profissão dele. Estou certo? Mas você não quis. Você se rebelou contra a família.

– Não, não. Eu sou advogado como ele.

A multidão se aproximava. Parecia mais agressiva do que antes. Sua mãe estava entre Gengis Khan e Júnior Baiano e duas cartucheiras se cruzavam sobre seu peito.

– Mamãe, este é o dr. Gomide. Ele quer...

Mas o dr. Gomide foi erguido do chão por piratas e atirado longe e ele só conseguiu escapar do cerco acordando e chutando as cobertas porque sua mulher passara a dormir na sala.

A recepcionista do dr. Gomide informou que, estranhamente, o doutor não tinha ido trabalhar, nem estava em casa. Ninguém sabia dele. Desaparecera.

No sonho daquela noite, quando o beduíno que liderava a turba o agarrou pela frente do pijama, ele viu que era o dr. Gomide com a cara pintada.

– Disfarça e pega isto – disse o dr. Gomide, empurrando uma metralhadora contra a sua barriga.

– Mas...

– Não discuta e pegue a metralhadora! Não foi fácil conseguir.

Em seguida o dr. Gomide rodopiou e enfrentou a multidão, empunhando sua própria metralhadora.

– Ao diabo com a análise – gritou. – Vamos sair daqui à bala!

Contos

1. A última conseqüência

Ontem chegou a notícia da última conseqüência do reveillon da Kika. Ela vem se juntar à separação dos Torvelinho, ao pé quebrado do embaixador, à intoxicação da Taninha (que continua no hospital e jogou pela janela o vaso de flores que recebeu da Kika, ferindo um convalescente, que vai processar), ao começo de incêndio no apartamento da frente, à briga a socos, na calçada, entre o Pontes Carrera e todos os Menegais com a desastrada tentativa de apartar do Santoro, que ainda não achou sua prótese, a viagem, às pressas, da Fulvia Leite e Barros para o exterior, mandada pela família até que passe o escândalo (embora se diga que há fotografias), o desaparecimento do tal romeno que ninguém conhecia, o suicídio inexplicado do gato e a mudança de voz do Paim Negreiros. A Kika anunciou que o lustre da sala, depois de balançar por três semanas, ontem caiu.

2. Gim tônica

Milena estendeu a perna e esfregou o peito do rapaz com o calcanhar. Estavam na piscina do seu apartamento de cobertura, tão alto que o ruído do calcanhar nos cabelos do peito – algo como "ruec, ruec" – pôde ser ouvido com nitidez. Estavam recém se conhecendo. Aliás, tinham se conhecido no reveillon da Kika.

– Bebes alguma coisa?
– Um gim tônica.

Milena quase caiu da espreguiçadeira.

– "Gim tônica"?!

– É, por quê?

Milena estava de pé. De costas para ele. Ao fundo, um urubu fazendo um círculo lento.

– Você foi instruído a dizer isso. Acertei?

– Não, não. Como?

– Alguém disse para você: "Pede um gim tônica, e vê o que acontece."

– Não. Juro que não.

– Devem ter lhe contado tudo sobre mim. Entre risadas, aposto. Toda a história. O falso goiano. Hein? Hein? Contaram do falso goiano?

Milena agora tinha o pé sobre o peito do rapaz. A sola do pé com o bracelete, ameaçando afundar seu esterno. Milena era a última pessoa do Brasil que usava bracelete no tornozelo.

– Eu gosto mesmo de gim tônica!

– Mentira.

– Gosto!

– Ninguém da sua idade toma gim tônica. Contaram para você a história do falso goiano e do gim tônica. Você foi preparado para me humilhar.

– Juro que...

– Saia! Saia daqui! Pegue a sua roupa e saia!

O rapaz tentou argumentar que não bebia outra coisa, mas Milena fazia gestos com os braços como se espantasse um enxame. Não queria ouvir. Ficou de costas enquanto ele se vestia e saía. Olhando para o céu. Depois ergueu os braços, com as palmas para cima, e ficou assim por um longo tempo. Com a cabeça atirada para trás e os olhos fechados.

Quando abriu os olhos Milena viu que o urubu fazia círculos cada vez mais baixos.

3. Por que não pode haver paz no Oriente Médio

Marcos e Márcia decidiram tentar salvar seu casamento. Foi por isso que não foram ao reveillon da Kika. Passaram o fim do ano em casa, só os dois. O plano era fazerem uma reavaliação da sua vida em conjunto, discutirem mágoas e reivindicações, botarem os podres na mesa, e resolverem tudo a tempo de abrir o champanhe à meia-noite e começarem 96 reconciliados. Marcos foi primeiro:

– Prometo não deixar mais minhas meias no chão se você prometer não ser mais tão desdenhosa.

Márcia sorriu de um jeito que tinha, os cantos da boca descendo em vez de subir.

– Típico – disse com desdém.

– Olha aí – disse o Marcos.

– Meu querido, você sacrifica um mau hábito e pede que eu sacrifique um posicionamento moral!

Às 11.45, Marcos foi visto na rua correndo atrás da Márcia para bater na sua cabeça com uma garrafa de champanhe. A Márcia gritando:

– Típico!

4. A conversão

O Gerson acordou no dia primeiro e declarou para a mulher, Fátima, que tinha tomado uma resolução de Ano-Novo.

– Agora sou neo-liberal.

Gerson e Fátima moravam numa casa de dois quartos junto com os três filhos, a mãe dele, a mãe e o pai dela, uma irmã da mãe que era nervosa e um irmão mais velho da Fátima que foi quem fez o único comentário, que ninguém entendeu muito bem, sobre a decisão do Gerson:

– Acho que agora é tarde.

5. Joint venture

Já o Lineu Saboya acordou numa cama ao lado da mulher do Tales Santander, sem que nenhum dos dois soubesse como tinha ido parar lá. Tentaram reconstituir a noite anterior. O Lineu Saboya se lembrava de estar na sacada do apartamento da Kika, soltando rojões para dentro de um apartamento vizinho, depois não se lembrava de mais nada. A mulher do Tales Santander se lembrava de estar num carro, a caminho de algum lugar. Lembrava-se das estrelas. Talvez estivesse no teto do carro.

– Houve alguma coisa entre nós? – perguntou o Lineu Saboya.

– Você quer dizer, sexo?

– Ou coisa parecida.

A mulher do Tales Santander examinou-se. Estava vestida, mas com uma camiseta do Vasco sobre o longuinho preto. Lineu Saboya também estava completamente vestido, mas com sapatos de salto alto. Aparentemente, não houvera sexo entre eles. Lineu Saboya ficou aliviado.

– Você sabe que eu e o Tales vamos discutir aquela joint venture esta semana.

– Sim.

– Ninguém precisa ficar sabendo disto.

– Claro.

Quando passaram pela sala, viram o romeno maluco atirado no sofá com o que parecia ser um buraco de bala no peito, bem no coração. Mas fingiram que não viram. Foram para a rua e cada um pegou um táxi e foi se explicar em casa.

6. Final feliz

– O que que eu faço com isso?

Era a faxineira da Kika, Darlene, mostrando um dos preservativos musicais que o romeno tentara distribuir entre os convidados, no reveillon. Kika nem olhou. Era a manhã do dia seguinte. Mesmo se quisesse olhar, não podia mexer a cabeça.

– Leve para a sua casa – disse a Kika, com sua voz de Greta Garbo.

Darlene sorriu.

– As crianças vão gostar.

O SÍTIO DO FERREIRINHA

Pela primeira vez na vida ele estava seguindo uma dieta, fazendo tudo o que o médico mandava. Até exercício. Durante anos ele se lamentara por não ter um carro inglês.

– Por que inglês?

– Porque a direção é no lado direito. Você abre a porta e já está na calçada. Não precisa dar toda aquela volta.

E agora estava fazendo até exercício. Corria todas as manhãs. Comprara abrigo, tênis e saía para correr todos os dias antes do café. Chegava em casa eufórico.

– Descobri uma coisa genial.

– O quê?

– Oxigênio!

Cortara completamente os doces. Logo ele, que certa vez provocara um enorme vexame. Estava caminhando na praça com a mulher – sob protestos – quando de repente se inclinara para afagar a cabeça de um garoto. A mulher até estranhara, ele gostava de crianças mas não era dado àquelas demonstrações. Ele então se endireitara e a puxara pelo braço, forçando-a a apressar o passo.

– Vamos.

– Que pressa é essa?

– Eu roubei o pirulito do garoto. Vamos embora!

Mas era tarde. O garoto já dera o alarme, eles tinham tido que enfrentar uma falange de mães e babás indignadas, ele fora obrigado a devolver o pirulito.

Agora fazia abdominais no meio da sala. Volta e meia se olhava no espelho, alisava a barriga e perguntava:

– Diminuiu, hein? Não diminuiu?

Realmente, a barriga diminuíra. A mulher ficou tão intrigada que foi procurar o novo médico dele, sem ele saber. Precisava conhecer o responsável por aquele milagre. O médico disse que não havia milagre nenhum. Quando ela perguntou como ele conseguira que o marido se dedicasse tanto a perder peso, o que nenhum outro conseguira, o médico sorriu e disse:

– Com o sítio do Ferreirinha.

Contou que, durante a primeira consulta com o novo cliente, perguntava, como quem não quer nada, se o cliente conhecia o Ferreirinha. Não? Pois o Ferreirinha tinha um sítio. E todos os fins de semana o Ferreirinha reunia no seu sítio um grupo de amigos e algumas mulheres. O Ferreirinha conhecia muitas mulheres. Modelos. Misses. Grandes mulheres. E outras. E todo fim de semana tinha o que o Ferreirinha chamava de A Corrida do Ouro. As mulheres saíam correndo pelos campos do Ferreirinha e os homens saíam correndo atrás. Quem pegasse uma ficava com ela para passar a noite. Os mais rápidos pegavam as mais bonitas. Os mais gordos e fora de forma não pegavam nenhuma. O cliente gostaria de entrar no grupo de amigos do Ferreirinha? Nada mais fácil. O médico apresentava. Mas antes ele precisava perder peso. Entrar em forma. Para não fazer feio no sítio do Ferreirinha. Quando o cliente estivesse no ponto – prometia o médico – seria apresentado ao Ferreirinha.

– Mas – perguntou a mulher – o sítio do Ferreirinha existe mesmo?

– Nem o sítio, nem o Ferreirinha – disse o médico.

– E como é que o senhor faz quando eles chegam no ponto para serem apresentados ao Ferreirinha?

Pensava no marido com uma mistura de raiva e pena. Ele estava perdendo a barriga para correr atrás de mulheres no sítio do Ferreirinha, o cretino. Mas que decepção ia ter quando descobrisse que o sítio não existia, pobrezinho.

– É uma coisa engraçada... – disse o médico. – A senhora sabe que, até hoje, nenhum dos meus clientes pediu para ser apresentado ao Ferreirinha? Eu digo: "Acho que você já está pronto para o sítio" ou "Amanhã vou apresentá-lo ao Ferreirinha". Mas nenhum se acha em condições. Sempre querem treinar mais um pouco.

– Que raça – disse a mulher.

E o médico, mesmo sendo do gênero, teve que concordar:

– Que raça.

Olha o Armani

Um Mercedes-Bens e um BMW se chocam numa esquina. Batida feia.

De dentro de cada carro pula o seu dono indignado.

– Não enxerga? – grita o dono do Mercedes.

O dono do BMW tira os óculos e mostra para o outro.

– Olha aqui. Olha aqui. Importados. Só a armação me custou 600 dólares. Enxergo tudo.

– Eu tenho um igual.

– Quero ver.

– Está na casa de campo.

– Pois devia estar na sua cara. Olha o que você fez no meu carro. Só esse pára-lama vai me sair mil dólares.

– E o meu pára-lama? Dois mil.

– E o meu pára-choque? Aqui não tem similar.

– E o meu? Também vou ter que importar.

– Eu pago!

– Paga nada. Paga quem pode.

– Olha aqui, seu...

– Chega pra lá. Você quase pisa no meu sapato florentino feito à mão.

– Já disse que pago.

– Quero ver pagar isto.

O dono do Mercedes puxa o outro pelo braço até seu carro, ouvindo protestos.

– Larga o paletó Armani. Olha o Armani.

– Olhe ali. Com o impacto, soltou o meu ar-condicionado Silent Drive e caiu o meu super tape-deck Magic Sound oito pistas. Mais de mil e quinhentos dólares.

O outro puxa o primeiro para olhar seu BMW.

– Olha lá. Meu ar-condicionado resistiu porque é melhor do que o seu, mas o meu tape-deck provavelmente ficou desregulado. É japonês, a coisa mais avançada que existe em matéria de som. Nem quero pensar como estão meus speakers quadrafônicos Laserbishi.

– Vem cá – diz o do Mercedes, puxando o outro de volta ao seu carro. – Olha o que aconteceu na minha direção ajustável Asti Lombroso especial. Olha só. Três mil, fácil.

Foi puxado de volta ao BMW.

– E o meu banco reclinável de couro amolecido? Quatro mil.

– Eu pago. Eu pago.

– Paga nada.

– Não quero nem pensar na caixa de champanhe na mala do carro.

– Que marca?

– Veuve Clicô.

– Se ainda fosse Taitinger...

– É para o meu caseiro. O que foi?

– Estava vendo se o meu relógio tinha sido afetado. Felizmente é o mais caro do mundo, mostra até o "prime rate" em Londres, e não sofreu nada.

– Vem cá.

– Olha o Armani!

– Olha a minha mulher. Me custa cinco mil por mês só em cosméticos e massagens. Veja o jeito que ela ficou. Que perda!

– Mas ela não está morta.

– Estou falando no que eu vou gastar em plástica. Sim, porque ela vai exigir o Pitanguy. É um cortezinho de nada, mas já estou quase ouvindo: "Quero o Ivo".

– Vem cá. Vem cá.

– Cuidado o sapato!

– Veja a minha mulher. Muito melhor do que a sua. Novinha. Me custou quarenta mil só em jóias. Fora as mensalidades.

– Mas ela não tem um arranhão.

– Como é que eu sei que não desregulou? Só em análise pode

sair uma nota. Sim, porque vai querer o psicanalista mais caro.
– Eu pago tudo.
– Não, eu pago tudo.
– Não quero ver você falido.
– Falido? Olha só a minha carteira de couro de marmota castrada. Olha o meu talão de cheque personalizado. Espia o saldo. Isso é só uma das contas. E fora o imobilizado.
– Não quer dizer nada. Pode deixar que eu pago.
– Não, eu pago.
– Eu!
– Eu!
– Quer sair no braço?
– Larga o Armani. Larga o Armani!

BOM PROVEDOR

Foi um escândalo quando a Vaninha – logo a Vaninha, tão delicada – apresentou o noivo às amigas. Era um troglodita.

– Não – contou a Ceres, depois. – Não é força de expressão. É um troglodita mesmo. Ele babou na minha frente. Ele babou na minha frente!

O noivo babava. Seu vocabulário era limitado. Duas ou três interjeições e algumas palavras que só a Vaninha entendia, e interpretava para os outros.

– Ele disse que tem muito prazer em conhecê-la, mamãe.

– Pensei que estivesse latindo.

É preciso dizer que a Vaninha, coitada, vinha de um casamento malsucedido, com intelectual brilhante mas complicado, e tinha dois filhos para criar. E quando sua mãe, incapaz de se controlar depois de ver o futuro genro tirar o sapato e a meia e coçar a sola do pé na frente de todo mundo, enquanto a Vaninha fingia que não via, disse "Francamente!", respondeu simplesmente:

– Digam o que disserem, ele é um bom provedor.

Para espanto e indignação de todos, Vaninha casou com o troglodita. As amigas se distanciaram dela. Não era possível. O que a Vaninha, logo a Vaninha, formada em História da Arte, vira naquele monstro? Mas um dia, meses depois do casamento, a Ceres encontrou a mãe da Vaninha. E ouviu dela, estarrecida, um elogio ao genro.

– É um bom provedor.

As amigas resolveram investigar. A Ceres, designada como patrulha avançada, foi visitar a Vaninha. Encontrou-a na cozinha da casa de subúrbio para onde se mudara com o troglodita e os dois filhos, retalhando um boi inteiro. O marido estava sentado no chão, num canto da cozinha, chupando um osso. Vaninha explicou que ele só se interessava por um determinado osso do boi. Saía de casa sem dizer para onde ia e voltava com um boi inteiro, ainda quente, sobre os ombros. E salivando com a antecipação do osso. O que sobrava do boi ficava para o resto da família. A Vaninha não perguntava aonde ele ia nem como matava o boi. O importante era que o freezer estava cheio de carne. A Ceres não queria levar um pedaço de carne para casa?

Naquela mesma noite o marido da Ceres, Carlos Augusto, um homem elegantíssimo, bem-articulado, campeão de gamão, depois de avisar que era preciso cortar as despesas da casa, que a situação na galeria não estava boa não, ouviu da mulher uma palavra forte e inédita.

– O que foi que você disse, Ceres?

– Imprestável!

A Ceres passou a visitar a Vaninha regularmente. Aliás, todas as amigas da Vaninha foram se reaproximando dela, uma a uma. Passavam a tarde com a Vaninha, conversavam, riam muito, e sempre levavam um pedaço de carne para casa. Comentando que marido era aquele, não o que elas tinham em casa. Babava, mas e daí?

PRESENTE

Aconteceu neste Natal. Ele mostrou o presente recém-de-sembrulhado.

– Meias.

– E o que mais?

– Mais nada. Só meias.

– Nem um lenço?

– Meias. Eu entrei na lista.

– Que lista?

O outro se inclinou para ouvir melhor. A família era grande e ruidosa e na hora de abrir os presentes ficava ainda mais ruidosa.

– A lista das meias. Existe uma lista das pessoas que, segundo eles, só devem ganhar meias no Natal.

– Quem são "eles"?

– Os que fazem as listas.

– Quais são os critérios?

– Você entra na lista das meias quando eles decidem que você não precisa, não merece ou não se interessa por mais nada. Ou não tem mais idade para outra coisa.

– As listas, então, são por idade?

– São. Existe a idade de ganhar brinquedos e jogos. Obvia-mente, nós não estamos mais nela. A idade de ganhar carteira de dinheiro. Depois a idade de ganhar dinheiro num envelope para gastar como quiser...

– Com a recomendação de não gastar tudo em mulher.

– Isso! Depois livros, discos, bebidas...

– Este ano eu ganhei um vinho.

– Sinal de que você está se aproximando da lista das meias. No ano passado eu ganhei um vinho. Este ano eles decidiram que o álcool pode me fazer mal. Me deram meias.

– Você não pode pedir para sair da lista das meias?

– Impossível. Quem entra na lista das meias entra, automaticamente, na lista dos que não são mais ouvidos sobre assunto nenhum. Inclusive as listas.

– Podiam dar uma gravata.

– Não. Gravata dá a entender que esperam que você ainda vá a algum lugar. De gravata. Dão meias, para ficar em casa.

– Uma loção...

– Cheirar bem pra que, na minha idade? Meias.

– Você poderia dar uma indireta...

– Passei o ano inteiro dizendo que estava precisando de um guarda-chuva novo. Guarda-chuva? Para sair na rua? Ainda mais com chuva? Meias.

– Quem entra na lista das meias, então...

– Só sai para entrar em outra lista. Ainda mais irrevogável e terrível.

– Qual?

– A das meias de lã.

– Essa é definitiva.

– É. Dos que estão na lista das meias de lã se presume que não têm outra ambição ou gosto na vida senão manter os pés quentes. Meias de outro material ainda deixam subentendida a possibilidade, mesmo remota, de uma recuperação. A medicina hoje faz milagres, você ainda pode voltar para a lista da loção. Até mesmo da gravata.

– Mas da lista das meias de lã ninguém sai...

– Com vida, não.

SINTETIZADOR

Guilherme tinha "jeito para música" e chegou a estudar piano com uma tia, mas se formou em ciências contábeis, começou a trabalhar, casou com a Diná, tiveram dois filhos, e ele nunca mais tocou nada. Mas agora o escritório está indo bem, o Guilherme tem mais tempo livre e neste Natal resolveu se dar de presente um sintetizador. Lembrou-se das suas aulas de piano com a tia Gracinda e começou a "tirar" músicas no sintetizador, para alegria da mulher e das crianças. Roberto Carlos, algumas coisas do Chico, "Garota de Ipanema", etc. Até bem direitinho.

Quando não tinha ninguém por perto, Guilherme experimentava com os diferentes sons do sintetizador e na outra noite apertou o botão "Coro", combinou com "Órgão" e tocou, com mil vozes e o registro mais profundo do órgão, uma frase musical que fez a mulher sair correndo do quarto e dizer, assustada: "O que foi isso?".

– Nada – disse o Guilherme. – Uma frase musical.

– Credo, Gui.

– Por que "credo"?

– Sei lá. Mas não toca mais, não.

Mas o Guilherme achou que era bobagem e repetiu a frase musical, acrescentando fagotes, e desta vez apareceram os dois filhos e se agarraram na mãe, apavorados.

– Pára, Gui!

No dia seguinte, Guilherme aproveitou que a mulher tinha ido levar os meninos no judô e repetiu a frase. Desta vez com "Coro", "Órgão", "Fagotes" e – depois de alguma hesitação –

"Violoncelos". Tinha tocado a frase três vezes quando ouviu baterem na porta. Era o seu Vítor, um vizinho aposentado, meio aparentado com os Gracie, que pediu desculpa várias vezes e explicou que ouvira aquela música e se sentira mal. Sentira, assim, um presságio, entende? Difícil de explicar. Uma coisa ruim. Não, não queria entrar. Só queria avisar. Desculpe. Obrigado. Quando a mulher chegou em casa contou que o seu Vítor tinha sido atropelado na frente do edifício. O porteiro contara que ele se jogara na frente do caminhão do lixo. Aproveitara para dizer que havia queixa dos moradores do prédio contra o sintetizador do oitavo. Estava perturbando o sono de todo mundo.

Guilherme convidou sua tia Gracinda para visitá-los. Há anos não se viam. Ela morava no Grajaú e Guilherme foi buscá-la de carro. Tia Gracinda se encantou com o sintetizador, mas preferiu tocar Chopin com o som de "piano mesmo". E então Guilherme perguntou "A senhora conhece esta frase?" e tocou a frase musical no sintetizador, enquanto a mulher fazia os filhos taparem os ouvidos. Não, a tia Gracinda não conhecia a frase. Podia ser de Wagner, mas ela não identificava. Estava com os olhos arregalados. A mulher pediu para o Guilherme tocar "Strangers in the night", mas ele estava preocupado com a tia Gracinda, que parecia prestes a desmaiar. Quando deixou a tia no Grajaú, Guilherme ouviu dela um pedido. "Vende aquele troço, Gui", se referindo ao sintetizador. E depois: "Senão eu vou ficar com remorso pelo resto da vida". Naquela mesma noite a tia Gracinda morreu, na sua cama de solteira, apertando um crucifixo contra o peito.

Guilherme não vendeu o sintetizador, mas não toca mais a frase. Às vezes, quando está sozinho, fica olhando o painel do instrumento. Imaginando o que aconteceria se repetisse a frase com "Coro", "Órgão", "Sopros", "Cordas", "Tímpanos" e "Gongos tibetanos". Com a janela aberta. O mar talvez recuasse, a terra talvez rachasse e as sombras do seu fundo a engolfassem. De qualquer maneira, sua vida doméstica estaria destruída para sempre. Guilherme sabe que existe a escolha de continuar sua vida com Diná, ser um bom pai e um bom vizinho, ou desenvolver a frase e compor a sinfonia do fim do mundo. Isto lhe dá uma estranha sensação de poder e medo ao mesmo tempo.

Mas ele se controla. Está tirando "Feelings".

MÃES

Mãe, mãe mesmo, só há duas: a mãe judia e a mãe italiana.

Contam que o Giovanni anunciou para a mãe que ia se casar. Depois de reanimá-la e ajudá-la a se levantar do chão, deu o resto da notícia. A moça era judia.

— Dio! — gritou a mãe, estendendo as mãos para o alto como que pedindo para Deus vir buscá-la imediatamente.

— Mama, você vai adorar ela.

— Eu vou ter que conhecer?!

— Claro, mama!

— Vá bene — disse a mãe, com um suspiro tão profundo que baixou o nível de oxigênio do quarteirão.

Combinaram que na noite seguinte o Giovanni traria a noiva para apresentá-la à mama, depois de participarem o noivado à família dela.

— Venham aqui primeiro — pediu a mama, com um mau pressentimento.

— Não, mama. Primeiro vamos na casa dela, anunciar o nosso casamento. Depois viremos para cá.

— Vá bene — suspirou a mãe, matando algumas plantas.

No dia seguinte a mama se ocupou de preparar a recepção para a noiva do Giovanni. Hesitou entre ter um enfarte e recebê-los à morte, anunciando que de onde estivesse abençoaria o casamento e usaria sua influência para tentar evitar que um raio interrompesse a cerimônia, e preparar alguma coisa para comerem. Optou pela comida, mas reforçou as olheiras. Prepararia uma ceia leve. Tagliateli. Rigatoni. Ravioli. Involtini. Talvez uma bela insalata...

Quando Giovanni e a noiva chegaram, encontraram a mama perfilada atrás da mesa coberta de comida, como um general atrás das suas tropas. A moça elogiou a gentileza da futura sogra, elogiou os pratos e contou que, quando anunciara à sua mãe que ia se casar com um católico, ela correra para a cozinha e botara a cabeça no forno.

Ao que a mama arregalou os olhos e perguntou, aflita com a perspectiva da falta de apetite do casal:

— E vocês comeram?!

A ESTATUETA

A menina entrou na cozinha com o rosto iluminado:

– Mãe, é a televisão!

– O quê?

– Na porta. Uma moça e gente da televisão.

A mãe enxugou as mãos e foi ver o que era.

– Pois não?

– Bom dia. A senhora é a dona Helena?

– Sou.

– Nós estamos fazendo uma reportagem sobre o Maia Lins.

– Quem?

– O poeta.

– Ah.

– A senhora soube que ele morreu?

– Não, não sabia.

A câmera já tinha começado a gravar. O microfone da repórter estava a centímetros da boca de dona Helena. Que, só para ter o que dizer, perguntou:

– Quando?

– Há dois dias. Ele estava doente há muito tempo. Vocês nunca mais tiveram contato?

Dona Helena ia começar a dizer que não apenas não tinha tido mais contato com o poeta Maia Lins como não tinha a menor idéia de quem era o poeta Maia Lins, quando a repórter deu um grito:

– A estátua!

Era uma estatueta, uma mulher nua com os braços estendidos, esculpida até os joelhos, que parecia tentar sair de dentro de um pedestal de mármore bruto. Estava sobre uma mesa alta no vestíbulo. A repórter passou por dona Helena e entrou na casa, fazendo sinal para que a câmera a seguisse.

– É a estátua. "Ninfa incompleta, presa à pedra bruta da existência..." É a senhora, não é?

Dona Helena não entendeu.

– Como?

Mas a moça já estava dando instruções ao câmera. Ele devia pegar a estatueta de baixo para cima. Depois fundiriam a cabeça da estatueta com a cabeça da dona Helena hoje.

– A senhora conservou tudo como era naquele tempo?

– Que tempo?

A repórter escolheu um ponto da sala e sugeriu ao câmera que fizesse uma panorâmica, começando na entrada do vestíbulo e terminando nela. Deu ordem às crianças para sair de trás e quando a câmera chegou nela começou a falar:

– Esta é a sala da casa de Helena. Sim, a Helena do poema. Está quase que exatamente como o poeta a descreveu. Vejam, os pés de ferro retorcidos da mesa. O vaso no centro da mesa. As flores, claro, são outras, não são as que ele chamou de "testemunhas mudas do meu tormento". E as almofadas. Quem pode esquecer a almofada que o poeta roubou, pois era "um estojo de cheiros sagrados que pulsa com a nossa volúpia reprimida"? Na sua última entrevista, já no leito de morte, o poeta revelou que Helena existia mesmo. E aqui está ela! A "musa torturante", o objeto da paixão frustrada do poeta e responsável pelo seu maior poema, a ninfa incompleta que ele amou até o fim... Venha, dona Helena.

E dona Helena foi para a frente da câmera, para grande nervosismo das crianças, tentando desesperadamente se lembrar. Maia Lins. Maia Lins...

– Vocês nunca mais se viram, dona Helena?

– Não, não.

– Nem quando o poema foi publicado, a senhora não o procurou?

– Não, não.

– Por quê?

– Bom, achei que, não é? Não sabia se ele queria.

– Ele só confirmou que o poema era autobiográfico pouco

antes de morrer. E revelou onde ficava a casa. Disse que preservou aqueles momentos com a senhora, nesta sala, como ponto-chave da sua vida. Se a senhora tivesse concordado em fugir com ele, tudo teria sido diferente. Ele nem seria poeta. Qual é a sua emoção, ouvindo isso?

– Nossa!

– A senhora tem todos os livros dele, dona Helena?

– Tenho. Claro. Quer dizer, todos não sei.

– E a senhora nunca se arrependeu?

– Do quê?

– De não ter ido com ele. De não ter sido a ninfa libertada da "pedra bruta da existência", como ele descreveu?

– Não, não.

– Como foi sua vida, depois?

– Eu me formei, não é? Casei, um pouco tarde. Meu marido é fiscal da Receita. Temos os três filhos...

– E hoje a senhora faz parte da literatura brasileira. Enquanto a poesia de Maia Lins for lida, a senhora será lembrada. Como é que é isso, na sua cabeça?

– É. Pois é. Não sei.

Depois de se despedir da repórter na porta, dona Helena ficou olhando a estatueta no vestíbulo e pensando. Maia Lins, Maia Lins... Devia ser pseudônimo. Mas de quem? Seu único namorado antes do Alcides tinha sido o Peri, que casara com a louca da Léa e criava gado em Goiás. Quem? Um hóspede na casa. Um amigo do seu pai... Quem? Ela não se lembrava. Ela não dera nem falta da almofada.

Quando o Alcides chegou, as crianças estavam esperando na porta com a novidade. Sabe quem esteve aqui em casa hoje, pai? A televisão!

Povo

– Geneci...

– Senhora?

– Preciso falar com você.

– O que foi? O almoço não estava bom?

– O almoço estava ótimo. Não é isso. Precisamos conversar.

– Aqui na cozinha?

– Aqui mesmo. O seu patrão não pode ouvir.

– Sim senhora.

– Você...

– Foi o copo que eu quebrei?

– Quer ficar quieta e me escutar?

– Sim senhora.

– Não foi o copo. Você vai sair na escola, certo?

– Vou, sim senhora. Mas se a senhora quiser que eu venha na terça....

– Não é isso, Geneci!

– Desculpe.

– É que eu... Geneci, eu queria sair na sua escola.

– Mas...

– Ou fazer alguma coisa. Qualquer coisa. Não agüento ficar fora do Carnaval.

– Mas...

– Vocês não têm, sei lá, uma ala das patroas? Qualquer coisa.

– Se a senhora tivesse me falado antes...

– Eu sei. Agora é tarde. Para a fantasia e tudo o mais. Mas eu improviso uma baiana. Deusa grega, que é só um lençol.

– Não sei...

– Saio na bateria. Empurrando alegoria.

– Olhe que não é fácil...

– Eu sei. Mas eu quero participar. Eu até que sambo direiti-nho. Você nunca me viu sambar? Nos bailes do clube, por exem-plo. Toca um samba e lá vou eu. Até acho que tenho um pé na cozinha. Quer dizer. Desculpe.

– Tudo bem.

– Eu também sou povo, Geneci! Quando vejo uma escola pas-sar, fico toda arrepiada.

– Mas a senhora pode assistir.

– Mas eu quero participar, você não entende? No meio da massa. Sentir o que o povo sente. Vibrar, cantar, pular, suar.

– Olhe...

– Por que só vocês podem ser povo? Eu também tenho direito.

– Não sei...

– Se precisar pagar, eu pago.

– Não é isso. É que...

– Está bem. Olhe aqui. Não preciso nem sair na avenida. Posso costurar. Ajudar a organizar o pessoal. Ajudar no trans-porte. O Alfa Romeo está aí mesmo. Tem a Caravan, se o patrão não der falta. É a emoção de participar que me interessa, enten-de? Poder dizer "a minha escola..." Eu teria assunto para o resto do ano. Minhas amigas ficariam loucas de inveja. Algumas iam torcer o nariz, claro. Mas eu não sou assim. Eu sou legal. Eu não sou legal com você, Geneci? Sempre tratei você de igual para igual.

– Tratou, sim senhora.

– Meu Deus, a ama-de-leite da minha mãe era preta!

– Sim senhora.

– Geneci, é um favor que você me faz. Em nome da nossa velha amizade. Faço qualquer coisa pela nossa escola, Geneci.

– Bom, se a senhora está mesmo disposta...

– Qualquer coisa, Geneci.

– É que o Rudinei e a Fátima Araci não têm com quem ficar.

– Quem?

– Minhas crianças.

– Ah.

– Se a senhora pudesse ficar com eles enquanto eu desfilo...

– Certo. Bom. Vou pensar. Depois a gente vê.
– Eu posso trazer elas e...
– Já disse que vou pensar, Geneci. Sirva o cafezinho na sala.

ADOLESCÊNCIA

O apelido dele era "Cascão" e vinha da infância. Uma irmã mais velha descobrira uma mancha escura que subia pela sua perna e que a mãe, apreensiva, a princípio atribuiu a uma doença de pele. Em seguida descobriu que era sujeira mesmo.

– Você não toma banho, menino?

– Tomo, mãe.

– E não se esfrega?

Aquilo já era pedir demais. E a verdade é que muitas vezes seus banhos eram representações. Ele fechava a porta do banheiro, ligava o chuveiro, forte, para que a mãe ouvisse o barulho, mas não entrava no chuveiro. Achava que dois banhos por semana era o máximo de que uma pessoa sensata precisava. Mais do que isso era mania.

O apelido pegou e, mesmo na sua adolescência, eram freqüentes as alusões familiares à sua falta de banho. Ele as agüentava estoicamente. Caluniadores não mereciam resposta. Mas um dia reagiu.

– Sujo, não.

– Ah, é? – disse a irmã. – E isto aqui o que é?

Com o dedo ela levantara do seu braço um filete de sujeira.

– Rosquinha não vale.

– Como não vale?

– Rosquinha, qualquer um.

Entusiasmado pela própria tese, continuou:

– Desafio qualquer um nesta casa a fazer o teste da rosquinha!

A irmã, que tomava dois banhos por dia, o que ele classificava de exibicionismo, aceitou o desafio. Ele advertiu que passar o dedo, só, não bastava. Tinha que passar com decisão. E, realmente, o dedo levantou, da dobra do braço da irmã, uma rosquinha, embora ínfima, de sujeira.

– Viu só? – disse ele, triunfante. – E digo mais: ninguém no mundo está livre de uma rosquinha.

– Ah, essa não. No mundo?

Manteve a tese.

– Ninguém.

– A rainha Juliana?

– Rosquinha. No pé. Batata.

No dia seguinte, no entanto, a irmã estava preparada para derrubar a sua defesa.

– Cascão... – disse simplesmente. – A Catherine Deneuve.

Ele hesitou. Pensou muito. Depois concedeu. A Catherine Deneuve, realmente, não. A irmã, sadicamente, ainda fingiu que queria ajudar.

– Quem sabe atrás da orelha?

– Não, não – disse o Cascão tristemente, renunciando à sua tese. – A Catherine Deneuve, nem atrás da orelha.

ooo

Já o Jander tinha 14 anos, a cara cheia de espinhas e, como se não bastasse isso, inventou de estudar violino.

– Violino?! – horrorizou-se a família.

– É.

– Mas Jander...

– Olha que eu tenho um ataque.

Sempre que era contrariado, o Jander se atirava no chão e começava a espernear. Compraram um violino para ele.

O Jander dedicou-se ao violino obsessivamente. Ensaiava dia e noite.

Trancava-se no quarto para ensaiar.

Mas o som do violino atravessava portas e paredes. O som do violino se espalhava pela vizinhança.

Um dia a porta do quarto do Jander se abriu e entrou uma moça com um copo de leite.

– Quié? – disse o Jander, antipático como sempre.

– Sua mãe disse que é para você tomar este leite. Você quase não jantou.

– Quem é você?

– A nova empregada.

Seu nome era Vandirene. Na quadra de ensaios da escola era conhecida como "Vandeca Furacão".

Ela botou o copo de leite sobre a mesa de cabeceira, mas não saiu do quarto. Disse:

– Bonito, seu violino.

E depois:

– Me mostra como se segura?

Depois a vizinhança suspirou aliviada. Não se ouviu mais o som do violino aquela noite.

O pai de Jander reuniu-se com os vizinhos.

– Parece que deu certo.

– É.

– Não vão esquecer o nosso trato.

– Pode deixar.

No fim do mês todos se cotizariam para pagar o salário da Vandirene. A mãe do Jander não ficou muito contente. Pobre do menino. Tão moço. Mas era a Vandirene ou o violino.

– E outra coisa – argumentou o pai do Jander. – Vai curar as espinhas.

GERAÇÕES

O rapaz ficava ouvindo as conversas do pai com o avô, esperando uma brecha para entrar também.

– Jogador foi o Leônidas – dizia o avô.

– Não sei – dizia o pai. – Já vi beques melhores.

– Mas que beque? E o Leônidas era beque?

– De que Leônidas o senhor está falando?

– Leônidas da Silva! O "Diamante Negro". Nunca houve outro.

– Ah. Eu estava falando em outro. Um que jogou no Botafogo.

O rapaz não se manifestava. Não havia nenhum Leônidas digno de nota na sua geração.

– Beque mesmo era o Da Guia – dizia o avô.

– O Ademir da Guia não era beque – retrucava o pai.

– E quem é que está falando no Ademir? Estou falando no Domingos. E mesmo Ademir, pra mim, só houve um. O Queixada. O homem do rush.

– Do quê?

– Do rush.

O rapaz tentava entrar.

– Crush eu conheço.

– Rush. Não Crush.

– Ah.

O rapaz pensava vagamente em mencionar o Ademir do Internacional. Mas desistia.

Sobre cinema, então, o desencontro era completo.

– Barbara, Barbara... – tentava se lembrar o avô. – O sobrenome começa com "S".

– Streisand.

– Stanwyck. Isso! Que atriz. Ninguém gritava como ela. E o Robert.

– Redford?

– Taylor.

Seria parente do James?, pensava o rapaz. Melhor nem perguntar.

Na verdade, a diferença em anos entre o pai e o avô não era tão grande assim. Não chegariam ao ponto de falar em Maria Antonieta e um estar pensando na do Luís XVI e o outro na Maria Antonieta Pons. Mas se falassem em Chico, voltava a confusão.

– Bela voz.

– Espera um pouquinho, papai. Pode-se dizer tudo do Chico, menos que ele tem uma bela voz.

– O Chico Alves?

– Ah. Esse...

Chico para o pai era o Buarque de Holanda. Que para o avô não era o Chico, era o Sérgio.

Shirley era Temple para o avô e MacLaine para o pai. O rapaz quebrava a cabeça. Shirley. Shirley. Conhecia alguma Shirley? Não havia nenhuma Shirley no seu universo. Ficava quieto.

– Richard Burton.

– Grande ator.

– Estou falando no escritor e explorador inglês. Século XIX. O pai se impacientava.

– Século XIX, também, papai!

Até que um dia saiu uma discussão sobre se era Halley com dois "eles" ou Haley com um "ele" só. Aí o rapaz interferiu, seguro.

– É Halley com dois "eles".

– Haley com um "ele" só – disse o pai com a mesma certeza.

– Halley com dois "eles". É o nome do descobridor – disse o rapaz.

– Eu não disse? – falou o avô, triunfante.

– Espera aí. De que Halley vocês estão falando?

– Do cometa! – disseram o avô e o neto juntos.

Depois ficaram trocando informações.

– Você viu ele da última vez, vô? Eu sei tudo sobre ele. Sabe que ele está voltando?

– Eu sei. Eu sei!

Foi a vez de o pai se sentir abandonado. Ficou pensando que fim levara aquele seu disco do Bill Haley. Como era mesmo? One, two, three o'clock, four o'clock rock.

RUBENS

Tinha pouca gente no bar quando o homem entrou. Ele sentou numa banqueta do bar, sorriu para o barman e pediu:

– Dois uísques.

– Dois?

– Um puro, com gelo, pra mim, outro com soda para o Rubens. O barman sorriu.

– O Rubens vai chegar depois?

– O Rubens está aqui do meu lado.

O barman hesitou, continuou sorrindo, depois deu de ombros. Tudo bem. Dois uísques, sendo um com soda para o Rubens. Colocou os dois uísques na frente do homem, que empurrou o que tinha soda para o lado. Depois de tomar o seu, o homem falou.

– Rubens, telefone para casa e xingue a sua mulher. Agora. Ela compreenderá.

Em seguida o homem tomou o uísque com soda também e confidenciou para o barman:

– Na verdade eu não bebo. Só venho para acompanhar o Rubens e evitar que ele beba demais. Notou como eu tomo o uísque dele sem ele perceber? É o jeito. Senão ele fica inconveniente. Canta "Conceição". O diabo. Põe outro com soda aqui pro Rubens não notar que eu bebi o dele.

– Mas ele é parente seu?

– Que parente? Eu nem conheço.

– Mas então porque...

– Olha aqui, não fala assim do Rubens. É um grande cara. Teve uma vida cachorra, entende? Cachorra. Não foi nada que quis ser na vida. Tem problemas em casa. Olha, ele está voltando e vai lhe acertar uma.

– Mas o que foi que eu fiz?

– Fica aí insinuando que ele é doido. Só porque tem um amigo imaginário. Pois o amigo dele sou eu e eu existo. Ou não existo?

– Calma, calma.

– "Conceição, ninguém sabe..." Põe mais dois aqui. Um só com gelo e um com...

– O senhor não acha que já bebeu demais?

– Como é que eu vou saber? Estou bêbado.

– Acho que chega.

– Então traz só o do Rubens.

– É melhor o senhor ir pra casa.

– Não contraria o Rubens que é ele que tá pagando!

Amadores

O paciente é acordado por uma enfermeira mirim. Uma menininha de oito anos.

– Bom dia !

– Bo-bom dia. Quem é você?

– Meu nome é Loralete e eu estou substituindo a sua enfermeira.

– Mas como é que você, desse tamanho...

– Não, eu não sou enfermeira de verdade. É que o hospital está fazendo uma promoção especial. Durante todo o dia de hoje, crianças substituirão o pessoal do hospital. Não é bacana?

Só então o paciente nota que, junto com a pequena enfermeira, entraram no seu quarto repórteres, cinematografistas de TV, um bando. Enquanto as câmeras rodam e os repórteres anotam tudo, Loralete se comporta como uma enfermeira, ajeitando as cobertas do paciente. O paciente está confuso.

– Chamem a enfermeira-chefe, por favor.

O pedido é transmitido através da multidão que lota o quarto.

– Chamem a enfermeira-chefe!

Depois de alguns minutos, entra no quarto, entre exclamações de prazer de todos, a "enfermeira-chefe". É uma menina como a Loralete, só um pouco mais gorda.

– Sim?

– Mas você não é a... Minha filha, por favor, isto não é brincadeira. Eu vou ser operado daqui a alguns minutos e...

A enfermeira-chefe não deixa ele terminar.

– Fique calmo, por favor. Deixe eu ver aqui na sua ficha o que você tem. Hmm, sim. É uma palavra enorme. Eu nem consigo soletrar.

Todos dão boas risadas. O paciente se impacienta. Exige a presença de alguém responsável. Esse negócio de crianças é muito bonitinho, mas ele vai ser operado de verdade. Não haverá ninguém da administração do hospital que... Explicam para o paciente que todo o pessoal do hospital foi substituído por escolares – é uma promoção dos clubes de serviço, para que as crianças aprendam como funciona um hospital – e que o melhor é ele relaxar e aceitar. E tem mais. Uma criança conhecidíssima participará da promoção e já está a caminho do hospital.

– Mas eu...

– Olha o anestesista!

Entra no quarto um garoto de seus sete anos, com uma seringa na mão. Está um pouco inibido. Tem que ser empurrado para a frente pela mãe.

– Dá a injeção no moço, dá, Janderzinho. Você vai sair na televisão.

O paciente tenta protestar mas não consegue evitar que Janderzinho, com os olhos fechados, acerte com a agulha na sua perna.

– Não!

E então, já perdendo a consciência, o paciente vê entrar no quarto – o cirurgião! Está de avental branco, abanando para todos, e sendo recebido com muita festa. É o Ferrugem!

– Levem o paciente para a sala de operações – ordena o Ferrugem.

Mas o paciente não ouve mais nada.

Metafísica

Quando Einstein morreu foi para o céu, o que o surpreendeu bastante. Assim que chegou, Deus mandou chamá-lo.

– Einstein! – exclamou Deus quando o avistou.

– Todo-Poderoso! – exclamou Einstein, já que estavam usando sobrenome. E continuou: – Você está muito bem para uma projeção antropomórfica da compulsão monoteísta judaico-cristã.

– Obrigado. Você também está ótimo.

– Para um morto, você quer dizer.

– Eu tinha muita curiosidade em conhecer você – disse Deus.

– Não me diga.

– Juro por Mim. Há anos que Eu espero esta chance.

– Puxa...

– Não é confete, não. É que tem uma coisa que eu queria lhe perguntar...

– Pois pergunte.

– Tudo o que você descobriu foi por estudo e observação, certo?

– Bem...

– Quer dizer, foi preciso que Eu criasse um Copérnico, depois um Newton etc. para que houvesse um Einstein. Tudo numa progressão natural.

– Claro.

– E você chegou às suas conclusões estudando o que outros tinham descoberto e fazendo suas próprias observações de fenômenos naturais. Desvendando os meus enigmas.

– Aliás, parabéns, hein? Não foi fácil. Tive que suar o cardigã.

– Obrigado. Mas a teoria geral da relatividade...

– Sim?

– Você tirou do nada.

– Bem, eu...

– Não me venha com modéstia – interrompeu Deus. – Você já está no céu, não precisa mais fingir. Você não chegou à teoria geral da relatividade por observação e dedução. Você a bolou. Foi uma sacada, é ou não é?

– É.

– Maldição! – gritou Deus.

– O que é isso?

– Não se escapa da metafísica! Sempre se chega a um ponto em que não há outra explicação. Eu não agüento isso!

– Mas escuta...

– Eu não agüento a metafísica!

Einstein tentou acalmar Deus.

– A minha teoria ainda não está totalmente provada.

– Mas ela está certa. Eu sei. Fui eu que criei tudo isso.

– Pois então? Você fez muito mais do que eu.

– Não tente me consolar, Einstein.

– Você também criou do nada.

– Eu sei! Você não entendeu? Eu sou Deus. Eu sou a minha própria explicação. Mas você não tem desculpa. Com você foi metafísica mesmo.

– Desculpe. Eu...

– Tudo bem. Pode ir.

– Tem certeza que não quer que eu. . .

– Não. Pode ir. Eu me recupero. Vai, vai.

Quando Einstein saiu, viu que Deus se dirigia para o armário das bebidas.

NÃO POEMA

Conhecemo-nos no salão de arte falsa
tinha quase 2 metros, descalça.
Sua beleza esfuziante batia
os Chagais de anteontem, os Cézannes de um dia.
Conversávamos sobre o trivial
– o declínio do Ocidente, o Caetano, a Gal –
e comentei que o canapé continha
não anchova mas sardinha.
O seu sorriso, de tão idílico
abafou o da Gioconda de acrílico
e a conversa derivou, feito balsa
para como a vida está falsa
neste grande e pequeno país
onde ninguém é o que diz.
Aqui a História se refaz
de acordo com quem apraz.
Forja-se pedigree de vira-lata
e ditador vira democrata.
E foi engano ou ouvi
protestos contra artimanhas – do Golbery?!
Rimo-nos deste estranho estado
ela apaixonante, eu apaixonado
e concluindo que "é, não tem jeito"
bebemos nosso uísque suspeito
enquanto da parede, do outro lado
um pseudo-Picasso nos olhava enviesado.

E o que dizer do nosso dinheiro
que do guichê pra fora é o cruzeiro
mas para efeito, assim, mais perene
atende pelo nome de ORTN?
Sem falar naquel'outro, nosso lorde
que tem a efígie de um tal George
mas só não é o Hulk por engano
pois é verde, é forte e é americano.
Debaixo de um Klee de plástico
chegamos a um consenso drástico:
Aqui é tamanha a insensatez
que o falsário não tem vez.
O nosso dinheiro em queda
já sai falsificado da Casa da Moeda.
E daí esta coisa engraçada:
vive-se de crédito, onde não se acredita em mais nada.
Economizar, aplicar quem pode?
(indagamo-nos sob uma Vênus de bigode)
se o Brasil desmoraliza o dito
que nossos pais nos deixaram por escrito
e depois de um caso Capemi
mão que economiza é mão que treme
e ninguém sabe, sábado, se segunda-feira
ainda existirá a sua financeira?
Tudo é mentira, suspiramos, até ouro em lingote
e aproveitei para espiar o seu decote.
Onde estará, em que conta, ou no céu
todo o dinheiro do Coroa-Brastel?
E da Delfim? Da Economisa? Da Haspa?
Volatilizou-se? Era caspa?
Grandes conglomerados superam-se
e, de um dia para o outro, desconglomeram-se.
E nada lhes acontece
onde nada é o que parece.
Certo da sua confiança
anunciei "O Brasil me cansa"
e sugeri com o olhar certeiro
seu regaço como travesseiro.
Ela era, como direi, uma jóia

– a terceira maja do Goya!
Mas ainda faltava à nossa crítica
repassarmos a política.
Os acordos proferidos
e logo a seguir desmentidos.
Os comícios, as canções
e as grandes traições.
Tudo vaidade, tudo fachada
caras de pau cobrindo o nada.
E debaixo de um improvável Dufy
chegamos ao Paulo Maluf.
Ela riu da frase que eu fiz
"É um Pinóquio sem nariz
uma síntese, em carne e osso
do que nos espera no fundo do poço."
Mas, emendei, na verdade
existe a autenticidade.
Tudo não é de soslaio
nem todo brasileiro é paraguaio.
Você, por exemplo, eu sei
é cem por cento de lei.
E sob um recente Rembrandt
perguntei "Posso lhe ver amanhã?"
Ela disse sim e, sem pose,
me deu seu nome: Roberta Close.
Esta história, claro, é ficção
nunca houve a reunião.
Tudo foi fabricado
o país é inventado
e o poeta improvisado.
E você, leitor: apalpe-se ligeiro
para saber se é verdadeiro.

HOBBIES

Deolcídio Mutinho é programador de computadores, mas nas horas vagas é vampiro amador. Quando quer relaxar, esquecer os problemas do dia-a-dia ou, como ele mesmo diz, "arejar a cuca", Deolcídio veste a sua capa preta, afixa seus caninos falsos e sai para a rua. Ele diz que não existe sensação igual à de perseguir uma jovem indefesa na rua, esgueirando-se pelas sombras até chegar a centímetros do pescoço nu, a jugular latejante...

– E o que acontece, então?

– A vítima vira-se e grita de pavor ou dá uma risada e continua caminhando. Algumas batem com a bolsa na minha cara. Já engoli dois caninos assim. É divertido.

– Existem muitos vampiros amadores no Brasil?

– O hobby ganha a cada dia mais adeptos. Já temos até um clube, o Atlético Transilvânia. Nos reunimos todas as sextas-feiras 13. O clube edita um jornalzinho, o "Hematimes", promove debates e simpósios e, todos os anos, no dia do aniversário do Bela Lugosi, um baile a fantasia.

– O vampirismo é um hobby caro?

– Não. A capa preta pode ser mais ou menos cara, dependendo do forro. Se for de cetim vermelho, por exemplo... Um bom par de caninos é difícil de achar, mas já existem uns nacionais de plástico bastante aceitáveis.

– Algum de vocês já provou...

– Sangue de verdade? Eu já.

– Você cravou mesmo os dentes no pescoço de uma virgem e...

– Não, não. Mordi a língua uma vez. E, mesmo, não se encontram mais virgens hoje em dia.

ooo

Málvio Alciole é corretor de imóveis mas tem uma paixão na vida: a cirurgia cerebral. Ele só se sente realmente feliz quando pode tirar o terno e a gravata, jogar para longe os sapatos sociais, vestir seu avental e suas luvas de borracha e abrir uma caixa craniana. Málvio tem uma sala de operações completa no porão da sua casa e é lá que passa suas horas de folga na companhia de alguns amigos, "botando a mão na massa", como dizem. No caso, massa cinzenta. O grupo varia, mas há sempre pelo menos um anestesista amador. E as mulheres brincam de enfermeira quando não estão servindo os salgadinhos e a bebida. É um divertimento sadio e educativo que ajuda a descontrair. Geralmente o grupo espera até o paciente voltar a si – se não houver nenhuma complicação – e todos saem para jantar depois da operação. Málvio ainda não está equipado para cirurgias mais complexas. Mas diz:

– Ando de olho num bisturi eletrônico. Se o conseguir, ninguém me segura!

O hobby não está muito difundido no Brasil porque não é barato. Diz Málvio:

– Você tem idéia de quanto está custando uma broca occipital?

ooo

A maior coleção particular de pizzas do mundo pertence ao jurista Domenico Corolário, de São Paulo, que desenvolveu um método para preservá-las, semelhante – segundo ele – ao embalsamamento. O doutor Corolário começou com uma de mussarela e molho de tomate simples, tamanho médio, para viagem. Levou para casa, esqueceu-se de comê-la e duas semanas mais tarde encantou-se com aquela coisa redonda, colorida e incomível e teve a idéia da coleção. Hoje viaja sempre que pode à procura de pizzas diferentes e tem correspondentes em todo o mundo, que lhe enviam espécimens novos. Quais são seus exemplares mais raros?

– Bem, tenho uma pizza de bacalhau, páprica e creme de leite. Esta aqui de creme de abacate, anchovas, azeitona, rodelas de tomate e caramelo. Esta de mamão, bacon e... Mas você está ficando verde!

O TRONCO

O coronel tem um preto que tira ele da cama, bota na cadeira de rodas e empurra a cadeira. É fácil, porque o coronel é só um tronco com a cabeça e um braço, mas o preto geme.

– Oigale...

– Tá gemendo por que, negro?

– O senhor tá ficando gordo, coronel.

– Tu é que tá ficando fraco, negro.

O negro é mais velho do que o coronel, que tem 170 anos. Ninguém sabe a idade do negro. Ele diz que tem duzentos, mas o coronel faz pouco.

– Só porque é número redondo.

– Se não é duzentos é trezentos.

– Te fecha, negro.

A cadeira é tosca, com rodas de madeira maciça.

– Oigate...

– Ô negro mole.

– Precisa de graxa nas rodas, coronel.

– Se tivesse graxa não precisava de ti, negro. Empurra, safado.

– A la putcha.

– Força que tu nasceu pra isso.

Como o coronel perdeu as pernas?

– Esta aqui, perdi na guerra de 35.

– Foi a outra – corrige o cavalo do coronel, o Toscano, filho do Tostado, neto do Torrão. O cavalo dorme no mesmo quarto com o coronel.

– A perna é minha, mas ele é que sabe... Foi em 35!

– Foi em 23.

– Quer saber mais do que eu?

– Foi meu pai, o Tostado, que caiu em cima da tua perna, mal-agradecido.

– Cavalo era o Torrão. Matava castelhano a dentada e pica-pau a coice. Não era um monte de bosta como tu e o teu pai. Nunca vi cavalo maricas.

– Maricas não!

E as pernas, coronel?

– Esta perdi na guerra de 35, esta na de 23.

E o braço?

– Foi num duelo. Lá pras banda de Não Sei Onde.

– Malmequer – corrige o cavalo.

– Te arranca, matungo fresco! O duelo foi por uma china, a Toleda. Uma que fazia trança na virilha.

E como terminou o duelo, coronel?

– Empate. Ele me cortou o braço e eu lhe cortei a cabeça.

O Coronel conta que enterrou o braço com a mão fazendo figa. Antes já tinha enterrado as duas pernas com honras militares.

– Quando chegar no céu, vou encontrar minha mãe, a Santa, meu pai, o capitão Glaucério, minhas irmãs, a Danica, que morreu de bucho, e a Maneca, que morreu de corrimento, meus irmãos Glaucindo, que morreu dos nervos, e o Glaumâncio, que morreu de catarro duro, minha primeira mulher, a falecida Begôncia, que morreu de bexiga solta e a minha segunda mulher, a falecida Meminha, que morreu de ruim. E o Torrão velho, e todos os meus camaradas, e a china Valmira, a única mulher que eu amei e matei com um tiro porque me enganava.

Matou com um tiro porque lhe enganava, coronel?

– Era com um baiano, não tinha outro jeito. E no céu também vão estar o meu braço e as minhas duas pernas me esperando. Vai ser uma reunião de juntar gente. Cosa mui linda.

E os homens que o senhor matou, coronel?

– Desses nenhum vai estar lá. Quem não era castelhano era pica-pau e quem não era pica-pau era safado.

Dizem que o senhor tem cento e dezessete balas no corpo, coronel.

– Eram cento e dezessete, mas já guspi dez e caguei quatro. Quantas sobram, negro?

– Cem.

– Esse aí sempre gostou de número redondo.

E a história do seu pênis, coronel?

– Ri, ri, ri – faz o cachorro do coronel, o velho Tubino.

– Tá rindo do que, sarna pura?

– Nada, coronel.

É verdade que o senhor perdeu o pênis em 93?

– Pois foi. Um ricochetaço.

E enterrou o pênis também?

– O quê? Esse está mais vivo do que eu. Negro, traz a guasqueira.

O negro vai arrastando os pés e volta com uma caixa de madeira. O coronel abre a caixa e mostra.

– Olhe que beleza. Tá corado, o bicho. Negro, leva ele na Doca.

– Agora, coronel?

– Agora. Dizem que tem mulher nova.

E lá vai o negro com a caixa embaixo do braço para a casa da Doca.

– Esse não morre – diz o coronel, apontando com o queixo não se sabe se pro negro ou pro pênis. – Eu morro e esse fica.

O senhor acha que vai morrer, coronel?

– Bueno, tenho escarrado verde barbaridade. Acho que más um inverno me liquida.

Mas o senhor já passou por cento e setenta invernos.

– E cada um tirou uma lasca.

Alguma tristeza, coronel? Saudade? Sentimento?

– Olhe. De vez em quando eu penso no velho Torrão e me dá uma coisa aqui. Cavalo especial estava ali.

O coronel vê que o Toscano se prepara para dizer alguma coisa e grita na sua direção.

– E não era respondão!

Mais alguma coisa, coronel? Remorso? Melancolia?

O coronel atira a cabeça para trás. O coronel tem um cheiro ruim.

Dizem que está apodrecendo, mas dizem isto há tanto tempo. O coronel fecha os olhos.

– Tem umas noites de lua cheia...

Sim coronel?

– Um cheiro doce no ar, muito antigo. Um barulho de água correndo nas pedras...

Muita vida, coronel.

– Demás. Até faz mal.

E o que é isso na sua cabeça, coronel? Parece cabelo novo.

– Pôs acho que é macega, tchê.

Vida demais, coronel.

– É. Vicia. A gente não sabe mais o que é e o que não é. Até as paredes começam a falar com a gente.

Nisso o coronel olha em volta e está sozinho.

REALISMO

O escritor estava diante da tela vazia do seu computador quando a mulher entrou voando pela janela. Ele não deu atenção à mulher e continuou olhando fixamente para a tela. Precisava começar um romance. Precisava escrever pelo menos um capítulo. Precisava de uma frase! E não tinha nem uma idéia.

A mulher bateu no seu ombro.

– Quié? – disse ele, sem se virar.

– Você não me viu chegar?

– Vi, vi.

– E então?

– Então o quê?

– Um começo para o seu romance. Escritor diante do computador. Entra uma mulher voando pela janela.

– Não serve.

– Como, não serve? Olhe para mim. Estou nua. Tenho uma tatuagem na nádega. Um coração, uma âncora e um nome: "Capitan Carrancho". Só aí já tem um capítulo. Só aí já tem um romance.

– Você não soube? O realismo mágico morreu.

– O quê?

– Ninguém mais voa, ninguém mais tem 300 anos de idade ou 200 metros de altura. Acabou.

A mulher sentou-se numa poltrona, desanimada.

– Pô.

– De qualquer maneira, obrigado.

– Tá.

Daí a pouco, ela falou de novo.

– E se, em vez de um romance, você contasse uma experiência sua, uma experiência mística na vida real? Na ficção não pode mais, mas não-ficção pode. A realidade é o último reduto da metafísica. Eu posso ser seu anjo da guarda.

– Eu nunca tive uma experiência mística.

– Está tendo agora!

– Não é a mesma coisa. Você só está se fazendo passar por anjo. E onde se viu um anjo tatuado?

– Eu renuncio à tatuagem. Nunca conheci o Capitan Carrancho. Não tenho nem bunda!

– Não. Obrigado, mas não.

– Oquei... – disse a mulher, resignada. – Tchau.

O escritor não teve tempo de avisar. Quando gritou "Pela janela não! Você não voa m..." já era tarde. Ela já tinha saído. Ele correu para a janela. O corpo dela estava estendido na calçada, lá embaixo. Já havia pessoas à sua volta. Alguém olhava para cima. E apontava para ele.

O escritor voltou ao computador. Ficou esperando. Dali a pouco bateram na porta. Ele foi abrir. Era um policial.

– Foi daqui que caiu uma mulher nua, agora há pouco?

Está bem, pensou o escritor. Na dúvida, apele-se para uma intriga policial. Depois a gente pensa em como desenvolver. O importante era começar.

– Depende. Como é a mulher? – perguntei, notando que ele não entendeu a ironia.